LAS VEGAS

EN QUELQUES JOURS

SARA BENSON

Las Vegas en quelques jours
1re édition, traduit de l'ouvrage *Las Vegas Encounter (3rd edition), November 2010*

Traduction française :

12 avenue d'Italie, 75627 Paris cedex 13
☎ 01 44 16 05 00
✉ [illegible]
🖳 [illegible]

place des éditeurs
Acropole
Belfond
Convergences
Hors Collection
Lonely Planet
Omnibus
Le Pré aux Clercs
Presses de la Cité
Solar

Dépôt légal : Mars 2011
ISBN 978-2-81610-800-2

Responsable éditorial Didier Férat
Coordination éditoriale Carole Haché
Coordination graphique Jean-Noël Doan
Maquette Laurence Tixier
Cartographie Caroline Sahanouk
Couverture Jean-Noël Doan et Alexandre Marchand
Traduction Christine Bouard-Schwartz et Mélanie Marx
Merci à Françoise Blondel pour son travail sur le texte

Imprimé par L.E.G.O. Spa
(Legatoria Editoriale Giovanni Olivotto)
Imprimé en Italie

COMMENT UTILISER CE GUIDE

Codes couleur et cartes

Des symboles de couleur représentant les sites et les établissements figurent dans les chapitres et sont reportés sur les cartes correspondantes afin de les localiser rapidement. Les restaurants, par exemple, sont indiqués par une fourchette verte.

Tous les sites et les établissements sont répertoriés sur la carte détachable.

Bien que les auteurs et l'éditeur Lonely Planet aient essayé de donner des informations aussi exactes que possible, ils ne sont en aucun cas responsables des pertes, des problèmes ou des accidents que pourraient subir les personnes utilisant cet ouvrage.

Vos réactions ? Vos commentaires nous sont très précieux et nous permettent d'améliorer constamment nos guides. Notre équipe lit toutes vos lettres avec la plus grande attention et prend en compte vos remarques pour les prochaines mises à jour.

Pour nous faire part de vos réactions, prendre connaissance de notre catalogue et vous abonner à Comète, notre lettre d'information, consultez notre site web : ***www.lonelyplanet.fr***

Nous reprenons parfois des extraits de notre courrier pour les publier dans nos produits, guides ou sites web. Si vous ne souhaitez pas que vos commentaires soient repris ou que votre nom apparaisse, merci de nous le préciser. Pour connaître notre politique en matière de confidentialité, connectez-vous à : ***www.lonelyplanet.fr/_html/confidentialite***

SARA BENSON

Ébahie par le Strip et sa jungle de néons à l'occasion d'un grand périple entre Chicago et la Californie, Sara est tombée, lors d'une merveilleuse nuit, amoureuse de Sin City (la "Ville du péché"). Elle retrouve à présent ce coin de désert dès qu'elle le peut et a consacré plus d'heures à jouer, faire bombance et errer dans Vegas qu'elle n'osera jamais l'avouer à sa grand-mère ! Avec ses amis, elle a passé de nombreux week-ends à faire la tournée des clubs du Strip, à se régaler à la table des grands chefs et à jouer au poker jusqu'aux petites heures du matin dans Glitter Gulch, Downtown. Sara est également une grande adepte d'activités de plein air. Elle écrit des articles sur le voyage pour des sites Internet, des magazines et des journaux de la côte Est à la côte Ouest, comme le *Las Vegas Review-Journal* et le *National Geographic Traveler*. Suivez les dernières aventures de Sara sur son blog, l'Indie Traveler (http://indietraveler.blogspot.com), ou sur Twitter (@indie_traveler).

REMERCIEMENTS

Un grand merci à tous les habitants de Las Vegas, les blogueurs et les Tweeters qui m'ont aidé dans mes recherches, en particulier ceux qui ont donné de leur temps afin d'être interviewés et photographiés pour ce guide. Sans Mike Connolly, Suki Gear et Jennye Garibaldi, écrire ce guide n'aurait pas été une expérience aussi plaisante.

PHOTOGRAPHE

Jerry Alexander vit avec sa femme Thanaphon dans la Napa Valley, en Californie. Jerry est viticulteur et, une fois la récolte terminée, le couple s'envole vers la Thaïlande (ils possèdent une maison à Chiang Mai) pour y retrouver famille et amis – et photographier l'Asie du Sud-Est. Jerry a participé à six ouvrages Lonely Planet ainsi qu'à de nombreux guides de voyages.

Photographie de couverture Enseigne représentant une cow-girl, Las Vegas, Lee Foster/LPI. **Photographies** p. 3, p. 41, p. 75, p. 124, p. 141 Sara Benson ; p. 40, Citycenter Land, LLC ; p. 18 LOOK Die Bildagentur der Fotografen GmbH/Alamy ; p. 86 Nick Hanna/Alamy ; p. 106 Kelly-Mooney Photography/Corbis ; p. 63 Paul Vidler/Alamy ; p. 22 Rouse Photography. Toutes les autres photos proviennent de Lonely Planet Images et Jerry Alexander excepté p. 8, p. 93 Richard Cummins ; p. 42, p. 177 John Elk III ; p. 6 Lee Foster ; p. 20 Jeff Greenberg ; p. 14, p. 55, p. 60, p. 74, p. 96, p. 151, p. 155, p. 159, p. 170 Ray Laskowitz ; p. 10 James Marshall ; p. 19 Curtis Martin ; p. 162 Carol Polich ; p. 156 David Tomlinson

Croquez dans "la Grosse Pomme" au New York-New York (p. 33)

SOMMAIRE

Lonely Planet réalise ses guides en toute indépendance et n'accepte aucune publicité. Les établissements et prestataires mentionnés dans l'ouvrage le sont sur la foi du seul jugement des auteurs, qui ne bénéficient en aucun cas de rétribution ou de réduction de prix en échange de leurs commentaires.

Sillonnant la ville en profondeur, les auteurs de Lonely Planet savent sortir des sentiers battus sans omettre les lieux incontournables. Ils visitent en personne des milliers d'hôtels, restaurants, bars, cafés, monuments et musées, dont ils s'appliquent à faire un compte-rendu précis.

Dealer must
soft 17
CAESARS PALACE
HOTEL

BIENVENUE À VEGAS !

Dans la Chapel of Love, Elvis – une Bible à la main – embrasse un couple de jeunes mariés encore tout étourdis. Dans une salle de jeux, une mamie s'excite sur sa machine à sous en alternant cigarette et gin tonic, pendant qu'une star du X se glisse à l'intérieur d'un night-club. Tournez la tête une seconde et vous aurez tout raté. Alors n'imaginez pas fermer l'œil !

Quelques frénétiques nuits blanches ici sont plus enivrantes qu'une semaine d'agapes ailleurs. C'est le moment de se lâcher, de sortir du sage train-train et d'exprimer ses fantasmes les plus fous. Sin City (la "Ville du péché") vous fournit un alibi en or : ce qui se passe à Vegas ne sort pas de Vegas !

Si la ville était une humeur, ce serait l'euphorie ; un sentiment partagé par les mineurs au XIXe siècle lorsqu'ils découvraient les premiers filons d'argent, par les gangsters de la mafia, mais aussi les vedettes de cinéma ou les crooners qui y menèrent la grande vie durant les Fabulous Fifties. L'excentrique milliardaire Howard Hughes lança le business des casinos. Peu après, l'Amérique moyenne se mit à déferler en masse sur Las Vegas Boulevard. À la fin du XXe siècle, des mégacomplexes comparables à ceux de Macao ou de Monte-Carlo ont modifié la ligne d'horizon du Strip. Après des décennies de développement, Las Vegas est une ville plus florissante que jamais.

Sin City exige de laisser de côté ses a priori ; ne prenez pas la ville trop au sérieux. Ici, le destin se décide sur un tour de roulette : un joueur en veine se voit soudain traité comme un prince, un flambeur rafle des milliers de dollars sur un lancer de dé. En définitive, peu importe que vous jouiez petit aux machines à sous ou que vous misiez votre cagnotte au poker, vous repartirez convaincu d'avoir vécu des heures aussi délirantes que fantastiques.

En haut Mettez toutes vos cartes sur le tapis au Caesars Palace (p. 43) **En bas** La ville à elle seule est déjà un spectacle

TO
Fabulous
DOWNTOWN
LAS VEGAS
NEVADA

S'ORIENTER À VEGAS

Le Las Vegas Boulevard, alias le Strip, ne cesse de se réinventer pour offrir une vision toujours plus spectaculaire. Outre les jeux, chaque hôtel-casino possède d'innombrables attractions. Le Strip s'étend du sud du Boulevard, au niveau du Mandalay Bay, jusqu'au Stratosphere au nord. Son centre névralgique correspond à l'embranchement avec Flamingo Rd.

Downtown se situe à l'extrémité nord de la zone touristique ; le son et lumière Fremont Street Experience se tient au cœur de Glitter Gulch. Dédaignant les imitations de pacotille, les vrais joueurs préfèrent le centre historique et ses casinos enfumés. À l'est de Las Vegas Blvd, Fremont St voit émerger un nouveau quartier en vogue, où fleurissent bars et discothèques.

Également en pleine effervescence, le 18b Arts District, aux abords de l'intersection entre Main St et Charleston Blvd, est le haut lieu de la jeunesse branchée, des artistes et des amateurs de culture alternative. Surnommé Naked City, le tronçon désolé de Las Vegas Blvd entre Downtown et le Strip, regorge de motels bon marché, de salons de tatouage et de chapelles de mariage proposant un "drive-in" (pour vous marier à bord de votre voiture, sur votre moto ou à pied...).

À l'est du Strip, le campus de l'UNLV (University of Nevada, Las Vegas) s'étend dans Maryland Parkway. Paradise Rd, où se tient le Las Vegas Convention Center, file vers le sud, au-delà de l'hôtel Hard Rock, jusque dans Fruit Loop, épicentre de la communauté des gays, lesbiennes, bisexuels et transgenres.

À l'ouest du Strip, le Palms et le Rio font la loi ; la plupart des clubs de strip-tease et des sex-shops sont dissimulés dans des ruelles du quartier industriel ou dans les centres commerciaux du Strip. Au nombre des banlieues en plein essor figurent Henderson, au sud-est de l'aéroport international McCarran, et l'opulent Summerlin, au nord-ouest de Vegas, à proximité du Red Rock Canyon.

Pas de panique : se sentir désorienté est un risque permanent à Vegas, que vous cherchiez votre chambre en sortant éméché d'un casino ou que vous tentiez désespérément de vous rappeler où est stationné votre véhicule !

À gauche Las Vegas souhaite la bienvenue à tous ses visiteurs !

>LES INCONTOURNABLES

Séance bronzage au bord de la piscine du Treasure Island (p. 61)

>1 SPECTACLES DU STRIP

LES ATTRACTIONS OUVERTES À TOUS

La profusion d'enseignes clignotant de toutes parts ne fait aucun doute : vous voilà enfin dans Las Vegas Boulevard. C'est sur le célèbre Strip que s'alignent la plupart des gigantesques hôtels-casinos et les complexes mastodontes, tous rivalisant d'ingéniosité pour vous attirer, vous et votre porte-monnaie. Bonne nouvelle pour les voyageurs au budget serré : certains des meilleurs divertissements du Strip sont gratuits.

Du faisceau projeté vers les cieux depuis la pyramide du Luxor (p. 49) au chapiteau démesuré du Circus Circus (p. 44) en passant par la vertigineuse Stratosphere Tower (p. 23), l'ensemble du Strip offre déjà un spectacle unique.

Pour les néophytes, impossible de manquer le ballet musical des fontaines du Bellagio (p. 80 ; à droite), entretenant l'illusion qu'un petit lac s'étend au milieu du désert du Mojave.

Quelques mètres plus loin a lieu l'irruption du volcan du Mirage (p. 81), une attraction fraîchement rénovée encore plus impressionnante.

Pendant ce temps, au Treasure Island, juste à côté, des sirènes en tenue légère (p. 81) affrontent une bande de marins tout en muscles dans une guerre des sexes très rock-n-roll.

L'autre côté du Strip offre tout autant de distractions accessibles à tous. Penchez-vous par-dessus les ponts élégant du Venetian (p. 62) pour admirer les gondoliers qui poussent la chansonnette sur le réseau de canaux du casino. Puis parcourez quelques mètres jusqu'au Harrah's (p. 66) : son Carnaval Court (p. 134) est une boîte de nuit à ciel ouvert où les barmen sont maîtres dans l'art de jongler avec les bouteilles.

DESCENDRE LE STRIP

C'est votre première visite à Vegas ? Mieux vaut arriver de nuit en voiture et s'arrêter un instant pour admirer le spectacle au loin. Quittez ensuite l'autoroute et descendez Las Vegas Blvd (alias le Strip) sur toute sa longueur. Vous n'en croirez pas vos yeux !

N'empruntez pas le Strip après 21h les vendredi et samedi sous peine de vous retrouver coincé dans les bouchons. Vous n'avez pas de véhicule ? Le bus Ace et le Deuce à impérial (p. 192) circulent 24h/24, 7j/7 le long du boulevard. La compagnie Gray Line (p. 194) propose un circuit de nuit.

Un peu plus au sud se dresse le très kitsch Imperial Palace (p. 66), où des *dealertainers* (p. 78), imitateurs de stars comme Elvis ou Tina Turner, donnent un spectacle de chant et de danse.

>2 ARTS DISTRICT

FÊTE DE QUARTIER POUR INITIÉS

À la lisière peu engageante de Downtown a émergé un nouveau quartier, le 18b Arts District, niché entre les magasins d'antiquités et les boutiques de vêtements vintage (p. 88). En semaine, il y a fort à parier que vous ne remarquerez même pas ses lieux emblématiques, comme l'Arts Factory (p. 74 ; photo ci-dessus). Mais le premier vendredi soir du mois, ces rues désolées prennent des allures de carnaval, lorsque y affluent des milliers d'amateurs d'art, jeunes branchés, musiciens et badauds. Vernissages d'expo, performances, concerts live, diseurs de bonne aventure et artistes tatoués sont au programme de cette gigantesque fête de quartier, prisée de la population locale. Vous serez peut-être le seul touriste sur place, une sensation fort agréable après les casinos et les complexes du Strip. Une fois la célébration achevée, sirotez un verre au Beauty Bar (p. 134).

Pour plus d'informations sur la scène artistique locale, voir p. 168.

>3 ATOMIC TESTING MUSEUM

SOUVENIRS DE LA GUERRE FROIDE EN PLEIN DÉSERT

Dans les années 1950, âge d'or du nucléaire, joueurs et visiteurs regardaient avec fascination des champignons atomiques s'élever au-dessus du désert. La ville élisait même une Miss Bombe atomique. Au cours des quarante années suivantes, plus de 900 explosions nucléaires ont eu lieu au Nevada Test Site, à moins de 100 km au nord-ouest de Vegas.

Pour en savoir plus, rendez-vous dans cet immense et remarquable musée affilié à la Smithsonian Institution (p. 74). Des expositions multimédias présentent les technologies et les enjeux scientifiques et sociaux de l'ère atomique (p. 179), qui dura de la Seconde Guerre mondiale jusqu'en 1961, date à partir de laquelle les essais devinrent souterrains, avant d'être interdits dans le monde entier en 1992. Les salles Stewards of the Land évoquent le passé, le présent et le futur du sud du Nevada, des modes de vie des Amérindiens aux conséquences écologiques des essais nucléaires, en passant par le projet controversé de stockage de déchets dans la Yucca Mountain.

Découvrez les expositions temporaires d'art contemporain et de sciences appliquées à côté de l'entrée. La boutique du musée propose des objets scientifico-rétro, comme un panneau d'abri antiatomique ou un T-shirt biohazard (estampillé du symbole du danger biologique).

>4 CASINOS ET COLLECTORS

À LA RECHERCHE DES VESTIGES DU VEGAS DE JADIS

Comme si Vegas avait honte de son passé immoral (p. 177), ses casinos vieillissants sont démontés à la vitesse de l'éclair pour faire place à des complexes toujours plus grands et plus sélects. Finie la grande époque des hôtels à thème extravagants : les établissements du Strip échangent, les uns après les autres, leurs dieux égyptiens et leurs faux monuments européens contre un luxe haut de gamme, plus chic mais définitivement moins drôle.

Rien ne traîne très longtemps dans cette ville. Les amoureux du Vegas d'antan pourront cependant dénicher des collectors remontant à l'époque de la Mafia et du Rat Pack (groupe d'artistes gravitant autour de Frank Sinatra) dans les boutiques de Downtown, comme Retro Vegas (p. 98) ou Gold & Silver Pawn (p. 99) qui proposent des souvenirs des casinos, des cendriers du Binion's Horseshoe aux jetons utilisés dans les années 1950. On peut même acquérir une machine à sous ou un jeu de roulette rétro auprès de Gamblers General Store (p. 99 ; photo ci-dessus).

Ne manquez pas les hôtels-casinos des années 1940 et 1950 toujours présents sur le Strip, comme le Sahara (p. 59) et le Tropicana (p. 69), et précipitez-vous dans leurs boutiques ou faites le plein de boîtes d'allumettes au bar, avant que ces deux établissements ne connaissent la triste destinée du Stardust et du New Frontier, réduits en poussière.

Pour savoir où découvrir le Vegas rétro, voir p. 174.

>5 CIRQUE DU SOLEIL

UN SPECTACLE DONT LE SUCCÈS NE S'ESSOUFFLE PAS

À la glorieuse époque des *Fabulous Fifties*, le Dunes déclencha un scandale en invitant des girls aux seins nus dans son spectacle *Minsky Goes to Paris* ; l'année suivante, le Stardust fit venir des danseuses françaises pour sa revue topless *Lido de Paris*. Ces deux hôtels-casinos légendaires ont depuis été démolis et, si les revues du genre ont toujours la cote sur le Strip – comme le *Jubilee!* au Bally's (p. 145) et le *Crazy Horse Paris* du MGM Grand (p. 145) –, ce sont aujourd'hui les spectacles du Cirque du Soleil qui tiennent le haut du pavé.

Cette remarquable troupe venue du Québec semble taillée pour Vegas, paradis du grand spectacle. Costumes chatoyants, acrobaties spectaculaires et immenses tambours contribuent à l'ambiance électrisante de ces shows renversants, parfois fantastiques mais souvent un rien futiles.

Choisissez entre les clowns de *Mystère* (p. 146 ; photo ci-dessus) – plus ancien spectacle du Strip (depuis 1993), les sensations aquatiques procurées par *O* au Bellagio (p. 42), la représentation *Kà* (p. 145) inspirée des arts martiaux, ou un voyage musical en hommage aux Beatles, avec *LOVE* (p. 146), ou bien au King, avec *Viva Elvis* (p. 147).

Du mal à obtenir une place ? Ces spectacles affichent presque toujours complets, mais vous pourrez faire halte au Revolution Lounge (p. 153) du Cirque pour y apprécier la joyeuse ambiance de carnaval.

>6 FIRESIDE LOUNGE

UN CAFÉ RÉTRO POUR RECHARGER SES BATTERIES

Alcool à gogo, corps de rêve et visions de fortune sont les principales motivations de nombre de visiteurs, pour qui arpenter le Strip constituera le bon moyen de voir toutes leurs attentes satisfaites.

Point de départ d'une folle virée nocturne : un *ultra-lounge* (p. 152), où les cocktails sont préparés à votre table par des top-models et où go-go-dancers et vue sur le Strip (voir encadré, p. 134) sont des spécialités maison. Ce n'est là qu'une mise en bouche avant les discothèques de Vegas (p. 140) et leur atmosphère débridée.

Lorsque, à 4 heures du matin, vos pieds n'en pourront plus de s'être agités autant, allez vous réfugier au Fireside Lounge (p. 134) du casino Peppermill, ouvert 24h/24. Caché sur le Strip Nord, ce minuscule café, avec ses néons acidulés et ses foyers de cheminée ouverts, vous appelle tel un phare dans la nuit.

Entraînez votre chéri(e) dans ce lieu droit sorti des Seventies, où des couples roucoulent sans pudeur sur des sofas après avoir siroté des boissons exotiques. Le cadre psychédélique et les effets spéciaux des fontaines à eau sont presque aussi déconcertants que les robes moulantes des serveuses.

Et pour achever cette nuit endiablée, quel meilleur spectacle que le lever du soleil sur Las Vegas Blvd ?

>7 FREMONT STREET

LES SALLES DE JEUX DE DOWNTOWN, POUR SE DÉFOULER SANS SE RUINER

Assez des paillettes du Strip ? Empruntez les bus Ace ou Deuce (p. 192) vers Downtown pour rejoindre Fremont Street, où sont apparus les premiers casinos de la ville. Surnommé Glitter Gulch, ce quartier ancien a émergé aux abords de la voie ferrée dès 1905, plus de quarante ans avant que le gangster Ben "Bugsy" Siegel n'emprunte l'autoroute au départ de Los Angeles pour fonder le Strip.

Bien que les salles de jeu de Downtown ne soient pas aussi glamour que les gigantesques casinos de la ville, leur proximité les unes des autres est un vrai plus. Jouez aux machines à sous, grignotez des Oreo (biscuits) frits, sirotez une margarita bleu électrique à 99 ¢ ou achetez un T-shirt criard dans un magasin de souvenirs, tout en assistant au show laser projeté sur l'écran géant de Fremont Street Experience (p. 80).

Le Strip peut conserver ses salles de poker, ses cordons "spécial VIP" et ses galeries marchandes grand luxe – ici, même Mr Tout-le-Monde a de quoi se prendre pour le King !

>8 LIBERACE MUSEUM

PÈLERINAGE DANS UN TEMPLE DU KITSCH

Surnommé Mr Showmanship ("monsieur mise en scène"), Lee Liberace a obtenu six disques d'or et s'est vu attribuer deux étoiles sur le Walk of Fame, à Hollywood. Ce musée incroyable (p. 78) rend hommage à l'exubérant pianiste décédé en 1987, quelques mois seulement après son dernier concert en public à New York.

Si le public appréciait Liberace, il était surpris et amusé par son extravagance : pianos hors de prix (un Baldwin incrusté de strass et un piano à queue recouvert de miroirs) ; Rolls-Royces et autres voitures tape-à-l'œil pour ses entrées (et sorties) sur scène ; fourrures valant des fortunes et costumes à paillettes aussi décalés qu'étranges.

Tâchez de prendre part à l'une des visites guidées effectuées gratuitement par des fans absolus du pianiste, qui passeront sous silence son homosexualité, son décès lié aux suites du sida ou encore la sinistre rumeur selon laquelle il aurait fait opérer son amant (également son garde du corps et chauffeur) pour qu'il ressemble davantage au grand Liberace.

Au moment de notre passage, le musée devait fermer ses portes (il semble que la mémoire du flamboyant pianiste ne traverse pas les décennies comme c'est le cas d'Elvis Presley…). Il est préférable de vérifier avant de vous déplacer.

>9 PLAGE DU MANDALAY BAY

UNE JOURNÉE À PARESSER AU BORD DE LA PISCINE

Le concept même de Vegas repose sur le principe de l'excès. Depuis l'inauguration par Steve Wynn du fabuleux hôtel-casino Mirage, à la fin des années 1980, lorsque l'argent régnait en maître, chacun des grands complexes a cherché à s'imposer au-dessus des autres.

Cette surenchère dans la rivalité s'applique aussi aux piscines des hôtels. Malgré la concurrence d'autres établissements – dont le Hard Rock (p. 48) avec ses cabines de plage tahitiennes et son black-jack se jouant au bord de l'eau, ou le Golden Nugget (p. 47), situé dans Downtown, dont le toboggan vous projette à travers un aquarium à requins – le complexe aquatique le plus impressionnant est celui du Mandalay Bay (p. 50), réservé à sa clientèle.

Avec une plage artificielle réalisée grâce à 2 700 tonnes de sable importé de Californie, les planchistes du M-Bay surfent sur des vagues de 2 m de haut. Empruntez une chambre à air pour flotter sur la Lazy River, ou louez une cabine au bord de l'eau ou une villa à la journée. On peut passer les heures les plus chaudes dans le casino climatisé sur la plage, à jouer au black-jack, à la roulette et au craps. L'été, des concerts se tiennent sous les étoiles, tandis que le Moorea Beach Club attire des foules libérées grâce à ses DJ et à la possibilité de bronzer topless.

Pour un tour d'horizon des *pool parties* interdites aux mineurs et des *ultra-lounges* au bord de la piscine, voir l'encadré (p. 154).

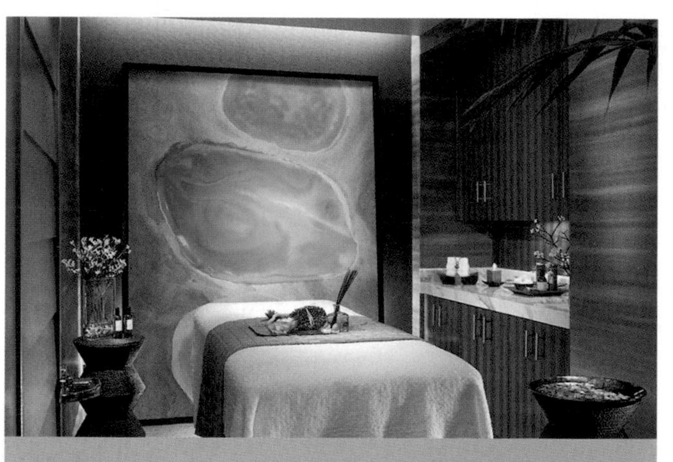

>10 QUA BATHS & SPA

UNE OASIS POUR SE FAIRE CHOUCHOUTER DE LA TÊTE AUX PIEDS

Il est loin le temps où l'on se rendait à Vegas uniquement pour ses jeux. Une halte à Sin City offre désormais une plongée hédoniste dans le plaisir sous toutes ses formes. Il était donc inévitable que de fantastiques spas y fleurissent un peu partout.

Envie d'une séance de shiatsu, d'un massage hawaïen ou thaïlandais ? D'un enveloppement de boue ou de feuilles de bananier ? D'une exfoliation à la crème de coco ? Vous aurez l'embarras du choix au Qua Baths & Spa (p. 149) du Caesars Palace. Brûlez vos excès de la veille au sauna avant de plonger dans les bains romains. Rafraîchissez-vous dans la salle Arctic, sous des flocons de neige carbonique. Profitez des chaises longues du salon de thé exotique, parfait pour faire des rencontres. Dans la Men's Zone, ces messieurs pourront choisir un "rasage royal" ou se faire masser leurs muscles endoloris.

Voir p. 147 les autres spas que nous recommandons.

>11 STRATOSPHERE TOWER

ÉMOTIONS GARANTIES AU SOMMET DE LA TOUR BLANCHE

Après avoir arpenté le Strip toute la journée, surtout sous le soleil écrasant, quel bonheur de s'élever dans la Stratosphere Tower par les ascenseurs les plus rapides du pays ! À 350 m d'altitude, le vent rafraîchit l'air de la ville et le rend plus pur. Par beau temps, on admire sur des kilomètres la vallée désertique encerclée de montagnes dentelées.

Que vous assistiez au coucher du soleil ou veniez observer les étoiles, la vue est inégalable. Difficile de ne pas frissonner de bonheur devant la ligne d'horizon de Sin City, surtout en sirotant un martini sur un fond jazzy au 107 Lounge (p. 132) ou en savourant un steak juteux au Top of the World (p. 115).

Mais le plus haut édifice de la ville réserve d'autres surprises : des manèges à grands frissons vous attendent au sommet, dont le bien nommé Insanity qui vous fait tourner dans le vide. Essayez le tout nouveau SkyJump (p. 83) ; vous serez catapulté de l'autre côté de la flèche dans une chute libre de 260 m !

Voir p. 83 pour plus d'informations.

>12 SPRINGS PRESERVE

VIE ET HISTOIRE DU DÉSERT DU SUD DU NEVADA

S'étirant sur 90 hectares, la Springs Preserve (p. 76) se trouve à l'emplacement de la source où les Paiute du Sud (peuple amérindien) puisaient leur eau. C'est dans ces *vegas* (prairies) que les marchands de l'Old Spanish Trail plantèrent leurs camps, avant que missionnaires mormons et pionniers de l'Ouest développent la vallée de Las Vegas. D'un budget de 250 millions de dollars, le musée entraîne les visiteurs dans un remarquable périple à travers l'histoire, la culture et la biologie du site.

Pour comprendre cette oasis du désert, commencez par l'Origen Experience. Les galeries Natural Mojave simulent des crues brutales et présentent la diversité de la faune, des monstres de Gila (lézards venimeux) aux grandes chauves-souris brunes. L'exposition People of the Springs (Peuples des sources) retrace le passé sombre de la ville, des campements amérindiens à l'arrivée du chemin de fer sur la frontière de l'Ouest et la construction du barrage de Hoover. Les salles New Frontier abritent quantité de jeux multimédias interactifs qui plairont aux enfants et les sensibiliseront à la préservation de la nature et à l'écologie dans la ville moderne.

Le grand attrait de la Springs Preserve est son Desert Living Center. Les premiers bâtiments LEED platine (la plus haute certification écologique) du Nevada ont été édifiés à l'aide de matériaux recyclés et de murs en pisé, avec refroidissement passif, chauffage à énergie renouvelable, eau de récupération et panneaux solaires, tous fonctionnant à l'énergie propre. Ce centre pionnier renferme des salles de cours, des laboratoires d'apprentissage et des expositions interpellant les visiteurs sur l'avenir de cette jungle de néons qu'est le Strip. La pérennité de cet environnement désertique fragile constitue, en effet, un vif motif de préoccupation.

Les jardins du site, où sont appliqués les principes du xéropaysagisme, comptent plus de 30 000 plantes.

La Springs Preserve possède plus de 3 km de sentiers de randonnée jalonnés de panneaux détaillant l'histoire naturelle et culturelle du Nevada ; prévoyez à boire et évitez les heures les plus chaudes.

La boutique de souvenirs propose cadeaux, livres et jeux divers autour du thème de l'environnement. À l'étage, le Springs Café de Wolfgang Puck, lui aussi de conception écologique, sert des mets très sains. Le Nevada State Museum devrait bientôt déménager au sein de la Springs Preserve.

Pour en savoir plus sur Las Vegas et l'écologie, voir p. 171.

>13 VOTRE CHAMBRE D'HÔTEL

UN WEEK-END ENTIER DANS UN NID DOUILLET

Le mieux à faire à Vegas est parfois de ne rien faire du tout, par exemple dans le luxueux cocon de votre chambre d'hôtel ou, mieux encore, d'une suite voluptueuse.

La grasse matinée s'impose aux fêtards fourbus par leur nuit déchaînée sur le Strip. N'oubliez pas d'afficher le petit écriteau Do Not Disturb (Ne pas déranger) à votre porte !

Entre le minibar de votre chambre et le room-service de l'hôtel, il n'y a pas grand-chose que vous ne pourrez obtenir. Au Hard Rock (p. 48), vous pouvez vous faire livrer de la lingerie Love Jones et des kits de jeu érotique (avec huiles de massage et… menottes !). Presque tous les hôtels de casino proposent du champagne, mais combien seront capables, comme le Palms (p. 55), de vous servir dans votre chambre un repas à 6 000 $ avec burger, frites et une bouteille de grand Bordeaux ?

Les établissements ultrasélects (Palazzo, Venetian, Wynn, Encore, Bellagio et MGM Grand) disposent de suites grand luxe, dotées d'un service de concierge VIP pour vous dorloter et faire en sorte que vous ne partiez qu'à grand regret.

Pour connaître nos recommandations en matière d'hébergement, voir p. 164.

>ITINÉRAIRES

Le vaisseau du TI attend ses sirènes libertines (Treasure Island ; p. 61)

ITINÉRAIRES

Mieux vaut faire en sorte que chaque minute de votre séjour compte car vous ne pourrez jamais faire le tour de toutes les distractions offertes par le Strip, Downtown et le reste de Vegas. Voici quelques propositions pour vous aider à en profiter au maximum :

UNE JOURNÉE

Dépêchez-vous de rejoindre le Strip. Enregistrez-vous à l'hôtel ou déposez-y vos bagages et précipitez-vous sur les tables de jeu. Profitez des attractions gratuites (p. 80) et des galeries marchandes (p. 92) du Strip tout en découvrant ses mégacomplexes (p. 32), tels l'Aria, le Bellagio, le Caesars Palace, le Venetian, le Palazzo, le Wynn et l'Encore. Déplacez-vous en monorail (p. 193) ou empruntez les bus Ace ou Deuce (p. 192). Offrez-vous une grande table (voir encadré, p. 104), avant d'aller faire la tournée des bars (p. 132) et des night-clubs (p. 140) torrides de Sin City. Après un petit somme et avant de reprendre la route, refaites-vous une santé autour d'un buffet (p. 169).

UN WEEK-END

Arrivez un vendredi et suivez le programme ci-dessus en prenant votre temps. Consacrez votre première soirée aux *ultra-lounges* (p. 152) du Strip et prolongez la nuit jusqu'à l'heure des afters (p. 152).

Une grasse matinée s'impose avant de paresser au bord de la piscine (p. 154), puis de prendre un cours de stratégie de jeu ou de se faire dorloter dans un spa (p. 147). Assistez au coucher du soleil depuis la Stratosphere Tower (p. 23) et mettez le cap sur Glitter Gulch et ses néons, ou regagnez le Strip illico presto.

Le dimanche, profitez d'un copieux brunch (voir encadré, p. 126) avant d'aller jouer dans un casino ou faire du shopping jusqu'à plus soif.

TROIS JOURS

Suivez les itinéraires conseillés pour une journée et un week-end et incluez une excursion au Grand Canyon (p. 156) ou au barrage de Hoover (p. 158) non loin, en empruntant la route panoramique autour du Lake Mead (p. 158) et de la Valley of Fire (p. 158). Le dernier jour, n'hésitez pas à acheter à moitié

À gauche Séance photo pendant la sieste des félins au Lion Habitat du MGM Grand (p. 77)

prix (voir encadré, p. 131) une place pour une comédie, un spectacle de magie (p. 138) ou un show renversant (p. 144). L'après-midi, visitez la Springs Preserve (p. 24), l'Atomic Testing Museum (p. 15) ou le 18b Arts District (p. 14), dans Downtown.

VEGAS PAS CHER

Votre budget est un peu juste mais pas question de rater Vegas ? Certaines des meilleures attractions sont gratuites, comme la chorégraphie des fontaines du Bellagio (p. 80), l'irruption du volcan du Mirage (p. 81), le spectacle débridé du Treasure Island (p. 81), les lions du MGM Grand (p. 77), les jardins tropicaux du Flamingo (p. 77), les acrobaties du Circus Circus(p. 80) ou encore les imitateurs de célébrités de l'Imperial Palace (p. 78). Dans Downtown, assistez au son et lumière Fremont Street Experience (p. 80) ou à une soirée First Friday (p. 14) dans le 18b Arts District. À l'est du Strip, le Hard Rock (p. 48) est rempli de trésors de l'histoire du rock-n-roll.

SPÉCIAL FLAMBEURS

Cruisez sur le Strip dans une décapotable rouge et, tel James Bond, lancez-vous dans une partie de poker acharnée. Dînez chez un grand chef (voir encadré, p. 104), puis côtoyez des vedettes hollywoodiennes dans un *ultra-lounge* (p. 152) ou dans l'espace VIP des discothèques (p. 140). Entamez la journée suivante par un buffet au champagne (p. 169), avant un bain de soleil au bord de la piscine (p. 154) ou un massage relaxant

Faites chauffer la carte aux Forum Shops (p. 92)

PRÉPARER SON VOYAGE À VEGAS

Un à six mois avant le départ Réservez billets d'avion (p. 190) et hébergement (p. 186). Si vous prévoyez des excursions en dehors de la ville (p. 155), réservez une voiture de location (p. 192).

Trois à quatre semaines avant le départ Commencez à surfer sur les sites Internet consacrés à Vegas (p. 195) et à consulter les médias locaux (p. 195) ; achetez votre place de concert, de spectacle ou de manifestation sportive (voir encadré, p. 151) et réservez votre excursion (p. 161) ; réservez aussi votre table dans un restaurant de luxe (p. 101).

Une semaine avant le départ Demandez à votre hôtel (p. 186) si ses tarifs ont baissé et, le cas échéant, demandez à ce que le prix de votre chambre soit diminué d'autant – un bon moyen d'économiser des centaines de dollars. Prenez rendez-vous dans l'un des luxueux spas du Strip (p. 147).

La veille du départ Reconfirmez vos réservations (avion, hôtel, véhicule) et imprimez tous les documents nécessaires. Consultez les blogs locaux (p. 195) et les pages de Twitter et Facebook pour connaître les derniers night-clubs et spectacles en vogue, et inscrivez-vous pour recevoir par texto (p. 196) les offres des hôtels-casinos.

au spa (p. 147). Faites-vous photographier à côté d'un coupé à un million de dollars au show-room Ferrari/Maserati du Wynn (p. 63), après avoir acheté les dernières créations venues de New York, Los Angeles, Milan, Paris ou Tokyo dans les galeries marchandes des mégacomplexes du Strip (p. 92).

VEGAS INSOLITE

Assez du Strip et de ses innombrables néons ? Découvrez l'envers du décor. Dans Downtown, l'ensemble de casinos à l'est de Fremont St est le nouvel épicentre du divertissement ; il s'articule autour du Beauty Bar (p. 134), du très branché Griffin (p. 135) et du chic Downtown Cocktail Room (p. 134). En journée, découvrez le 18b Arts District (p. 14) avec ses galeries d'art (p. 74), ses boutiques de vêtements rétro et ses magasins d'antiquités (p. 88), ainsi que des enseignes introuvables ailleurs (p. 99). Régalez-vous au Luv-It Frozen Custard (p. 120), puis mettez-vous au vert à la Springs Preserve (p. 24), dotée d'un remarquable musée, de sentiers de randonnée et de jardins, ou intéressez-vous à l'histoire du nucléaire à l'Atomic Testing Museum (p. 15). Pour retrouver les flippers de votre enfance, arrêtez-vous au Pinball Hall of Fame (p. 79). Essayez d'assister à une soirée First Friday (p. 14) dans le 18b Arts District ou à un festival local (p. 132).

>CASINOS ET MAISONS DE JEUX

Découvrez ce que vous réserve Dame Fortune

Harrah's
LAS VEGAS
Winnie
Bucky

CASINOS ET MAISONS DE JEUX

Vous venez de gagner les trois dernières parties. Le cœur battant, vous doublez la mise et... perdez la moitié de votre cagnotte. Rien que de très classique à Vegas, où le désir fébrile d'emporter le jackpot explique l'irrésistible attrait exercé par les jeux sur tant de visiteurs, malgré les faibles probabilités de toucher le gros lot !

En jouant, il ne faut jamais perdre de vue la notion d'"avantage" de la maison. Dans tous les jeux, exception faite du poker, le casino possède un avantage statistique sur le parieur et "récupère" de façon quasi systématique une petite portion des gains. Ce pourcentage varie selon le jeu et les paris de chacun mais, à terme, vous êtes assuré de perdre plus ou moins l'intégralité de ce que vous misez. Dès lors, mieux vaut ne pas se lancer dans un jeu que l'on ne comprend pas, ne pas parier plus que ce que l'on est prêt à perdre et apprendre à s'arrêter dès que l'on est en veine.

Parmi les jeux de casino figurent le poker, le black-jack, le baccara, le craps, la roulette et les machines à sous. Pour jouer ou simplement entrer dans un casino, il faut être âgé d'au moins 21 ans. Chaque jeu possède ses usages, traditions et stratégies propres. Presque tous les casinos distribuent des guides explicatifs. Certains proposent des leçons gratuites d'une heure pour les jeux de table (Texas Hold'em, black-jack, craps), toujours dispensées par des professionnels. Vous pouvez demander conseil à votre croupier, qui pourra vous indiquer la stratégie à adopter avec votre main de black-jack. Il est d'usage d'octroyer un pourboire au croupier si vous gagnez. Placez un jeton sur le plateau à son intention ou effectuez un pari annexe qu'il récupérera en cas de victoire.

En haut à gauche Pourquoi siroter votre verre au bar du Flamingo (p. 46) alors que vous pouvez l'emporter dans la piscine ? **En haut à droite** Tenue de soirée conseillée au The Bank (p. 142) du Bellagio **En bas** Deux statues porte-bonheur au Harrah's (p. 66)

MEILLEURS CASINOS POUR LES MISES LES PLUS ÉLEVÉES

- > Bellagio (p. 42)
- > Mansion au MGM Grand (p. 51)
- > Mirage (p. 52)
- > Venetian (p. 62)
- > Wynn (p. 63)

Si vous jouez sérieusement, demandez au chef de table d'évaluer votre niveau en fonction de vos mises et du nombre d'heures jouées. Chaque année, les casinos de Vegas distribuent, uniquement aux joueurs classés, l'équivalent de millions de dollars en bonus divers (les "*comps*").

Même en ne misant que 5-10 $ par partie, vous pouvez remporter un coupon pour un buffet gratuit. Les joueurs de table, de machines à sous et de vidéo-poker obtiennent des bonus en adhérant aux clubs des joueurs de la maison. L'adhésion est gratuite mais réservée aux personnes de plus de 21 ans munies d'une pièce d'identité. Adressez-vous au bureau du club ou aux caisses du casino ; on vous remettra une carte de membre, un T-shirt souvenir, un bon pour une boisson gratuite, l'équivalent de 10 $ de jetons pour les machines à sous et d'autres cadeaux de bienvenue.

POKER

Le poker est devenu le jeu le plus prisé de la ville. Attirés par les retransmissions télévisées et l'explosion des jeux en ligne, les candidats se précipitent pour tester leur adresse face aux champions locaux et aux professionnels de passage. Si vous vous présentez un vendredi soir dans une salle de poker *big-league*, vous risquez d'attendre plusieurs heures qu'un siège se libère. Les nouvelles salles, plus clinquantes, possèdent des panneaux électroniques et distribuent des bipeurs pour vous avertir d'une place disponible. Les salles non fumeurs sont de plus en plus nombreuses.

De nombreuses salles ne prennent qu'un faible pourcentage sur chaque "pot". Il existe trois types de mises : avec limite, sans limite, avec limite de pot. S'il ne s'agit pas de l'unique version du poker pratiquée à Vegas, le Texas Hold'em (p. 173) est de loin la plus courante. Les novices pourront se procurer un livre de stratégie (en anglais) au Gamblers Book Shop (p. 90).

BLACK-JACK

Le poker remporte les suffrages, mais le black-jack (appelé le 21) demeure un jeu de table très répandu. Son succès s'explique par la simplicité de ses règles et par la bonne ambiance régnant entre joueurs et croupiers. Presque tous les joueurs ont, un jour, réussi un superbe coup, les laissant croire que l'on peut l'emporter. Cependant, tous les black-jacks ne sont pas identiques et chaque casino impose ses propres règles. Évitez ceux où vous ne pouvez pas séparer l'as ou ceux qui paient 6/5 au lieu de l'habituel 3/2.

Presque toutes les stratégies reposent sur un principe simple : de nombreuses cartes valant 10 – les dix, valets, reines et rois représentant près d'un tiers du jeu – on peut raisonnablement estimer que toute carte inconnue, autrement dit la carte cachée du croupier ou celle que vous recevrez, vaudra 10. Les boutiques de souvenirs des casinos vendent de petits mémos en plastique vous indiquant la décision à prendre dans chaque situation ; un conseil que vous donnera aussi un croupier sympathique.

BACCARA

Au baccara est associée l'image glamour des smokings, de James Bond et des gros paris. Il s'agit pourtant d'un jeu de cartes aux règles fixes, dépourvu de toute stratégie. Le joueur n'a aucune décision à prendre, hormis celle du montant à parier. Des mises minimales élevées garantissent la participation de joueurs au portefeuille bien garni. Vous pourrez cependant trouver des tables de mini-baccara avec mise minimum de 5 $.

CRAPS

Ces tables se reconnaissent aux exclamations poussées par leurs joueurs et à la présence de curieux tout aussi enflammés devant les jets de dés.

MEILLEURES ADRESSES POUR ACCROÎTRE SES CHANCES DE GAGNER

> Black-jack – Les règles varient d'une table à l'autre, mais les casinos de Downtown et du Strip Nord sont très accessibles.
> Craps – La probabilité de gagner varie mais essayez le Casino Royale sur le Strip, Main Street Station dans Downtown et Sam's Town non loin du Strip.
> Paris hippiques et sportifs – le Hilton possède les plus grands guichets au monde, mais le Wynn, le Caesars Palace et le MGM Grand sont impressionnants ; le Lagasse Stadium du Palazzo sert une cuisine gastronomique.
> Roulette – Le Paris Las Vegas et certaines salles de jeux à mises minimales élevées du Strip possèdent de vraies roulettes européennes, ce qui augmente vos chances de gagner.
> Vidéo-poker – Le Palms, à l'ouest du Strip, et certains hôtels-casinos de Downtown possèdent des machines full-pay (aux paiements avantageux).

Bien que les chances soient exactement les mêmes à chaque lancer, les joueurs font appel à leur intuition pour prévoir que tel ou tel chiffre "tombera".

Les possibilités de paris étant compliquées et évoluant au fil du jeu, mieux vaut étudier au préalable un guide des mises et jouer la plus simple, le *pass/don't pass* (passe/ne passera pas), qui est aussi l'une des mises les plus avantageuses à Vegas.

ROULETTE

Un jeu ancien, facile à comprendre et fascinant à observer. La roulette apporte la démonstration flagrante de l'avantage de la maison. Elle comporte 38 numéros – de 1 à 36, plus 0 et 00 (la roulette européenne ne possède généralement pas de double zéro, la version américaine est donc plus difficile). Sur le plateau sont inscrits les numéros et diverses combinaisons de mises.

La plupart des mises offrent une probabilité égale, mais les chances de gagner sont en réalité inférieures à 50%, car le zéro et le double zéro ne sont ni pair ni impair, ni rouge ni noir, ni manque ni passe. La roulette n'offre pas les chances de gagner les plus élevées, mais elles sont loin d'être les pires.

VOCABULAIRE DE PROFESSIONNEL

***all in* (tapis)** – miser tous ses jetons sur un seul coup
ante – mise de départ obligatoire dans un jeu de table
***comps* (bonus)** – cadeaux accordés aux joueurs (bons pour un buffet, un spectacle ou une nuit d'hôtel)
cooler – joueur à la malchance contagieuse
dealertainer – croupier exécutant un numéro (par exemple, imitant Billy Idol)
eye in the sky – système de vidéo-surveillance des casinos
***fold* (se coucher)** – joueur posant son jeu et cessant de miser
***high roller* (gros joueur, requin, flambeur)** – joueur aux mises élevées
***let it ride* (laisser courir)** – multiplier un pari par deux
***low roller* (petit joueur)** – joueur misant de faibles sommes (par exemple, sur des machines à 1 ¢)
marker – ligne de crédit accordée par le casino à un joueur
***one-armed bandit* (bandit-manchot)** – surnom des machines à sous
***pit boss* (chef de table)** – superviseur des croupiers
sucker bet – pari avec très peu de chance de gagner
toke – pourboire ou gratuité

MACHINES À SOUS ET VIDÉO-POKER

Quoi de plus simple que ces machines à sous au succès monstre ? Il suffit d'insérer des pièces et de tirer sur un levier (ou d'appuyer sur un bouton). Les joueurs n'ont aucune action sur le résultat. Les probabilités sont programmées au préalable et les chances de gagner sont identiques à chaque fois.

Certaines machines ont un taux de redistribution de l'argent inséré plus élevé que d'autres ; on appelle *loose slots* celles dont le taux est supérieur à la moyenne (jusqu'à 98%).

Si vous remportez le jackpot, attendez toujours à côté de la machine qu'un employé se présente pour lui demander votre pactole.

Appréciés des habitants de la région, les jeux de vidéo-poker sont souvent intégrés au comptoir des bars. En adoptant la bonne tactique (les matheux pourront mémoriser les tables de stratégie) et en repérant les machines au meilleur barème de paiement, vous pouvez augmenter vos chances.

Recherchez les machines qui récompensent une paire de valets ou une meilleure combinaison et accordent le paiement d'une pièce pour 9 pièces avec une main pleine (*full house*) et 6 pièces avec une couleur (*flush*) (sur une machine 9/6 Jacks ou Better).

PARIS SPORTIFS

Les plus grands casinos possèdent généralement une salle de paris hippiques et sportifs, où sont retransmises les principales manifestations sportives. Vous pouvez parier sur tous les matchs, rencontres et courses du pays, à l'exception notoires de ceux organisés au Nevada.

L'excitation est à son comble lors des événements majeurs : les NFL Monday Night pour le football américain, le March Madness pour le basket-ball et les World Series (championnat du monde) du base-ball.

PRINCIPAUX CASINOS ET SALLES DE JEUX

Les casinos sont légion à Vegas, chacun proposant des jeux différents et des chances de gagner variables.

Nous vous présentons les principaux établissements de Las Vegas Blvd et de Fremont St, dans Downtown, ainsi que quelques autres maisons de jeux. L'entrée est gratuite dans tous ces lieux ouverts 24h/24 et accessibles aux visiteurs en fauteuil roulant. Les casinos disposent d'un parking gratuit et d'un service de voiturier (pourboire minimum de 2 $).

ARIA

Finie l'ère du kitsch, Las Vegas a mûri. Aussi hauts que des gratte-ciel, les nouveaux édifices de la ville offrent des atmosphères plus raffinées, comme le CityCenter, du MGM Mirage, dont les hôtels de charme et les œuvres d'art ont redessiné la physionomie du Strip.

Le CityCenter ne possède qu'un seul casino, installé au sein de l'**Aria** (☎ 590-7111 ; www.arialasvegas.com ; 🚌 Deuce), un complexe hôtelier comptant également un spa d'inspiration japonaise et des restaurants sélects (p. 104). C'est aussi à l'Aria que se déroule le spectacle *Viva Elvis* (p. 147) du Cirque du Soleil, dont la boutique officielle (p. 98) ravit les inconditionnels du King.

Jouxtant l'Aria, le centre commercial Crystals (p. 92), certifié LEED or (standard nord-américain d'écoconstructions), subjugue les visiteurs avec sa "cabane en bois" sur trois niveaux, ses sculptures d'eau et de glace et sa structure en verre et en acier abritant des boutiques de luxe.

Non loin, au Mandarin Oriental, hôtel cinq-étoiles, chacun peut emprunter les ascenseurs jusqu'au Sky Lobby du 23e étage, pour apprécier la vue panoramique sur le Strip. L'expérience est encore plus agréable pour qui est confortablement installé au Mandarin Bar & Tea Lounge (p. 136) ou au Twist, le restaurant de Pierre Gagnaire (p. 105).

Les tramways effectuant gratuitement la navette entre le Monte Carlo et le Bellagio font halte au CityCenter.

L'étincelant Aria, l'hôtel-casino du CityCenter

Jasmine Freeman

Joueuse de poker et croupière au M Resort

Comment êtes-vous devenue croupière ? J'avais un travail "normal" et je venais ici juste jouer au poker, m'amuser et me détendre. Les croupiers sont payés pour jouer toute la journée. Je me suis dit : "Pourquoi pas ?" **Qu'appréciez-vous dans votre travail ?** Il n'y a pas deux journées identiques. Lorsque vous avez affaire au public, vous ne savez jamais ce qui peut arriver. **Qu'est-ce qui fait un bon croupier ?** Il ne faut pas se laisser impressionner. **Un conseil pour les joueuses de poker ?** Faire preuve d'assurance. Certains hommes ont l'impression de savoir ce que ressentent les joueurs hommes, mais ils ignorent le mode de raisonnement féminin. Ça peut être un avantage. **Et pour les novices ?** Commencez par les tables de poker à faibles mises minimales et entraînez-vous sans tout dilapider. Vous pourrez jouer davantage et plus longtemps. **La chose la plus agréable et la plus dure lorsque l'on vit à Vegas ?** Il y a des milliards de choses à faire – la ville ne dort jamais. Je dois me forcer à préserver du temps de sommeil !

BELLAGIO

Édifié par Steve Wynn à l'emplacement du Dunes, le **Bellagio** (☎ 693-7111 ; www.bellagio.com ; 3600 Las Vegas Blvd S ; Ⓜ Bally's/Paris) entend éblouir par son architecture toscane, son lac artificiel et, surtout, son spectacle de jets d'eau (p. 80). C'est dans ce complexe opulent que furent tournées de nombreuses scènes d'*Ocean's Eleven* (2001), remake d'un film éponyme de l'époque du Rat Pack (voir p. 62).

Indéniablement tape-à-l'œil, le Bellagio dégage aussi une atmosphère très romantique. Derrière sa porte de verre et d'acier se dissimulent des restaurants hauts de gamme (p. 102), dont le restaurant Picasso, où vous pourrez admirer d'authentiques œuvres du grand maître, des boutiques de luxe (p. 94), la Gallery of Fine Arts (p. 74), qui accueille des expositions prestigieuses, et un casino d'influence européenne.

Dans l'entrée, le plafond est orné d'une gigantesque œuvre de Dale Chihuly, faite de 2 000 fleurs de verre soufflées à la main. De véritables plantes, cultivées dans l'immense serre sur place, agrémentent les lieux et le superbe jardin d'hiver (p. 77). Dans la cour, la piscine est encadrée de colonnes sculptées, de citrus et de jardins paysagés.

Les moins de 18 ans non accompagnés ne sont pas autorisés au Bellagio. Seules les poussettes de la clientèle de l'hôtel sont admises.

L'extérieur imposant du Bellagio

CAESARS PALACE

L'inauguration du **Caesars Palace** (☎ 731-7110 ; www.caesarspalace.com ; 3570 Las Vegas Blvd S ; Ⓜ Flamingo/Caesars Palace), dans les années 1960, a marqué le début de l'ère du luxe dans l'industrie du jeu. L'hôtel-casino de style gréco-romain abrite des reproductions de statues classiques et d'imposantes fontaines. C'est dans une de ses suites que furent tournées certaines scènes du film *Rain Man*, de Barry Levinson.

Une coûteuse rénovation a, depuis peu, redonné du lustre au Caesars sans rien lui ôter de son caractère kitsch. L'été, des serveuses en toge distribuent du raisin dans la piscine du Garden of the Gods Oasis et la baignade *topless* est autorisée au Venus Pool Club. Le club Pure (p. 143) est apprécié des célébrités, tandis que le crooner Matt Goss se produit au Cleopatra's Barge.

Les fontaines sont toujours celles par-dessus lesquelles le cascadeur Evil Knievel sauta en moto le 31 décembre 1967.

Ses deux casinos renferment plus d'une centaine de tables de jeu, plusieurs milliers de machines à sous acceptant des jetons d'un montant pouvant atteindre 500 $, ainsi qu'une salle de paris hippiques et sportifs avec écrans géants. Les fashionistas arpentent les boutiques sélects des Forum Shops (p. 92), qui comptent un aquarium et un spectacle de jets d'eau. Avec ses 4 100 places, le Colosseum accueille des représentations théâtrales spectaculaires. De grands chefs exercent leurs talents dans les restaurants du Caesars (p. 103).

Immersion totale dans le luxe du Caesars Palace

CIRCUS CIRCUS

En remontant le Strip Nord, peu engageant, difficile de manquer le **Circus Circus** (☎ 734-0410 ; www.circuscircus.com ; 2880 Las Vegas Blvd S ; Deuce), avec son énorme clown sur l'enseigne et son chapiteau. Ce complexe aux couleurs criardes est le paradis des enfants et des poussettes.

Inauguré en 1968, l'hôtel-casino devait, à l'origine, être érigé à côté du Caesars Palace sous la forme d'un cirque romain. Il en fut décidé autrement. Ses trois grands casinos comptent plus de 2 200 machines à sous (repérez les carrousels tournants) et des jeux de table loufoques comme Casino War.

Certaines scènes du film *Las Vegas Parano,* inspiré du récit d'Hunter S. Thompson, père du journalisme gonzo (méthode d'investigation axée sur l'ultra-subjectivité), ont été tournées au Circus Circus. Dans les airs, trapézistes, funambules, jongleurs et monocyclistes effectuent des acrobaties ahurissantes (p. 80). Derrière l'hôtel-casino se trouve le parc à thème Adventuredome (p. 81). Le petit casino Slots A' Fun (p. 79) se situe à quelques mètres.

Retomber en enfance au Circus Circus

EXCALIBUR

Avec ses tourelles colorées et son pont-levis, l'**Excalibur** (☎ 597-7777 ; www.excalibur.com ; 3850 Las Vegas Blvd S ; Ⓜ MGM Grand) est l'illustration parfaite du côté carton pâte de Vegas. Ce pseudo-château médiéval ravit néanmoins les étudiants fauchés et les familles avec jeunes enfants qui y séjournent.

Les murs du casino sont ornés de blasons et de faux vitraux représentant vaillants chevaliers et gentes dames. On trouve d'anciens jeux d'arcade, comme le *skee-ball,* dans le Fantasy Faire Midway, tandis que le Wizard's Arcade recèle des jeux vidéo et des attractions telles Merlin's Magic Motion Machine. Les plus jeunes apprécieront le dîner-spectacle *Tournament of Kings*.

L'Excalibur est relié au Luxor par un tapis roulant en sous-sol. Un monorail assure une navette gratuite entre l'Excalibur, le Luxor et le Mandalay Bay.

Retour au temps des chevaliers à l'Excalibur

FLAMINGO

Billy Wilkerson, propriétaire de l'*Hollywood Reporter* et de clubs libertins de Los Angeles, entama la construction du casino en 1946. Très vite à court de fonds, il se retira du projet et c'est la mafia new-yorkaise qui injecta des millions de dollars pour achever le déjà célèbre **Flamingo** (☎ 733-3111 ; www.flamingolasvegas.com ; 3555 Las Vegas Blvd S ; Ⓜ Flamingo/Caesars Palace).

Le "Flamant rose" fut d'abord dirigé par le gangster Benjamin "Bugsy" Siegel, qui lui donna le surnom de sa petite amie, Virginia Hill, danseuse à la chevelure flamboyante et aux jambes interminables. Victime d'un tueur à gages, Siegel fut assassiné dans le bungalow Beverly Hills, peu après l'inauguration du casino. En raison de ses débuts difficiles, les investisseurs ne donnaient pas cher du Flamingo. Non seulement le complexe survécut, mais il donna le ton au Vegas moderne et à l'ensemble du Strip.

Le casino a beaucoup changé depuis l'époque où tout son personnel était en smoking : il évoque plus aujourd'hui un cadre du style *Deux flics à Miami* (*Miami Vice*) que de celui de *Bugsy*, de Barry Levinson. Il demeure néanmoins très fréquenté. Faites une halte pendant la frénétique *happy hour* pour siroter une margarita en profitant de l'ambiance.

Atmosphère rétro au Flamingo

GOLDEN NUGGET

Le Golden Nugget ("Pépite d'or") doit son nom à la plus grosse pépite au monde, appelée Hand of Faith, découverte en Australie. Ce joyau de 27,2 kg est exposé sous verre près des ascenseurs de la North Tower.

Inauguré en 1946, le **Golden Nugget** (☎ 385-7111 ; www.goldennugget.com ; 129 E Fremont St ; 🚌 Ace Gold, Deuce) était le plus grand casino de la planète. Les joueurs de poker pouvaient alors utiliser leurs propres cartes. Dans les années 1970, l'entrepreneur de casinos Steve Wynn remit un Las Vegas vieillissant au goût du jour en invitant Frank Sinatra à s'y produire. Au XXIe siècle, le Nugget a fait son apparition dans tous les foyers américains grâce à la série de téléréalité *Casino* diffusée par Fox.

De jour comme de nuit, ce casino est le plus glamour de Downtown, même si la clientèle se compose surtout de retraités sur leur trente et un. Il abrite un certain nombre de machines à sous et de tables de jeu, ainsi qu'une salle de poker non fumeurs. Le Rush Lounge accueille des concerts en direct. Vous pouvez déguster un steak au Vic & Anthony's (p. 121) ou une pizza chez Grotto (p. 120). Réservé à la clientèle de l'hôtel, un toboggan aquatique traverse un aquarium à requins de 750 000 litres avant de rejoindre une piscine en extérieur. Dans la très haute Rush Tower, le restaurant de poissons Chart House (p. 119) est aménagé autour d'un énorme aquarium rempli de poissons tropicaux.

Le réservoir à requins du Golden Nugget

HARD ROCK

Premier casino dédié au rock-n-roll, le **Hard Rock** (☎ 693-5000 ; www.hardrockhotel.com ; 4455 Paradise Rd ; 🚌 108) conserve sans doute la plus impressionnante collection d'objets ayant appartenu à des stars de la musique. Sous l'œil de lynx d'agents de sécurité aux allures de videurs sont exposés des trésors inestimables : costumes d'Elvis et de Britney Spears, moto customisée des Hell's Angels (don de Nikki Sixx du Mötley Crüe), paroles d'un tube des Doors écrites à la main par Jim Morrison.

Ce lieu fréquenté par ceux qui aiment voir et se faire voir est très apprécié des fêtards locaux. Le casino récemment agrandi dispose de tables de black-jack animées par des go-go dancers, les Hell's Belles. Non loin se trouvent la salle de concert Joint by Rogue (p. 140), la discothèque Vanity (p. 144), des boutique branchées (p. 93) et le Reliquary Water Sanctuary & Spa. En saison, on peut jouer au black-jack dans la piscine du Beach Club, ouverte au public pour ses fêtes "Rehab" (voir encadré, p. 154) les dimanches d'été.

Les nouvelles suites glamour et le SkyBar autour de la piscine ont redonné un second souffle aux lieux.

Tenues spéciales show-biz au Hard Rock

LUXOR

Inspiré par la cité égyptienne du même nom, le **Luxor** (☎ 262-4000 ; www.luxor.com ; 3900 Las Vegas Blvd S ; Deuce) fut un temps le complexe le plus époustouflant du Strip Sud.

Devant la pyramide de 30 étages intégralement recouverte de verre noir se tiennent un sphinx accroupi et un obélisque de grès orné de hiéroglyphes. À l'intérieur sont exposés des œuvres d'art et des éléments d'architecture égyptiennes : imposantes statues de gardes, de lions et de béliers, colonnes, tapisseries, réplique du grand temple de Ramsès II, ainsi qu'une reconstitution de la tombe de Toutankhamon. L'atrium est si vaste qu'on pourrait y empiler neuf Boeing 747. Au sommet de la pyramide, un signal d'une intensité lumineuse de 40 milliards de candelas, le plus puissant au monde, projette un faisceau de lumière bleutée à 16 km de hauteur, visible par les astronautes. La thématique égyptienne perd toutefois peu à peu du terrain au profit de clubs débridés (p. 153) et de nouveaux restaurants (p. 107).

Le Luxor est relié à l'Excalibur par un tapis roulant souterrain. Pour rejoindre le Mandalay Bay, traversez le centre commercial Mandalay Place (p. 93). Un tramway assure une navette gratuite entre le Luxor, le Mandalay Bay et l'Excalibur.

Se prendre pour un pharaon au Luxor

MANDALAY BAY

Jouant la carte tropicale, le "**M-Bay**" (☎ 632-7777 ; www.mandalaybay.com ; 3950 Las Vegas Blvd S ; Deuce) paraît moins spectaculaire que les plus célèbres complexes de Vegas, même si les flambeurs apprécient ce casino où le crédit autorisé semble illimité.

Ici, des groupes réputés mettent le feu à la House of Blues (p. 140) et à l'Events Center (voir encadré, p. 151), des "anges" en combinaison vont chercher votre vin au restaurant Aureole (p. 107) et des manteaux en zibeline vous sont prêtés pour pénétrer dans la cave à vodka du Red Square. Outre ses boutiques huppées, le M-Bay abrite Mandalay Place (p. 93), une galerie commerçante aménagée sur une passerelle, ainsi que le très minimaliste THEhotel avec son bar Mix (p. 137) et le spa Bathouse (p. 148).

Parmi les curiosités aquatiques du M-Bay, le Shark Reef (p. 78) est un aquarium à requins entièrement clos sous lequel on peut passer à pied. En été, sur la Mandalay Beach, aménagée grâce à 2 700 tonnes de sable californien, on peut assister à des projections de film les pieds dans l'eau, à des compétions de surf dans la piscine à remous et à des concerts de légendes du rock-n-roll. On peut aussi bronzer seins nus au Moorea Beach Club. Pour décompresser après une partie de poker acharnée, réfugiez-vous dans une cabine sur le toit ou laissez-vous dériver sur la Lazy River.

Navettes gratuites entre le Mandalay Bay, le Luxor et l'Excalibur.

Musique live à l'House of Blues du Mandalay Bay

MGM GRAND

Avec plus de 5 040 chambres, 18 000 portes, 7 778 lits et 93 ascenseurs, le **MGM Grand** (☎ 891-1111 ; www.mgmgrand.com ; 3 799 Las Vegas Blvd S ; Ⓜ MGM Grand) était encore récemment le plus grand hôtel au monde. Malgré cela, cette "cité du divertissement", qui semble droit sortie du *Magicien d'Oz,* parvient à offrir une ambiance assez cosy.

Appartenant autrefois à la célèbre Metro Goldwyn Mayer, ce complexe reprend des thèmes inspirés de films hollywoodiens, avec des photos en noir et blanc des vedettes d'hier. Aménagé sous une immense rotonde, le casino évoque le glamour des années 1930. D'une superficie équivalente à quatre terrains de football, il offre un choix impressionnant de machines à sous et de jeux de table, ainsi qu'une salle de poker et une salle de paris sportifs avec des salons VIP.

À l'extérieur, difficile d'ignorer l'immense lion en bronze de 45 tonnes et 14 m de haut, juché sur un piédestal et encadré de fontaines et de statues antiques. Au nombre des attractions du MGM figurent la fosse aux lions (p. 77), le vaste MGM Grand Garden Arena (voir encadré, p. 151), où se déroulent concerts et combats de boxe, le spectacle *Kà* (p. 145) du Cirque du Soleil sur le thème des arts martiaux, la revue topless Crazy Horse Paris (p. 145) et plusieurs grandes tables (p. 108).

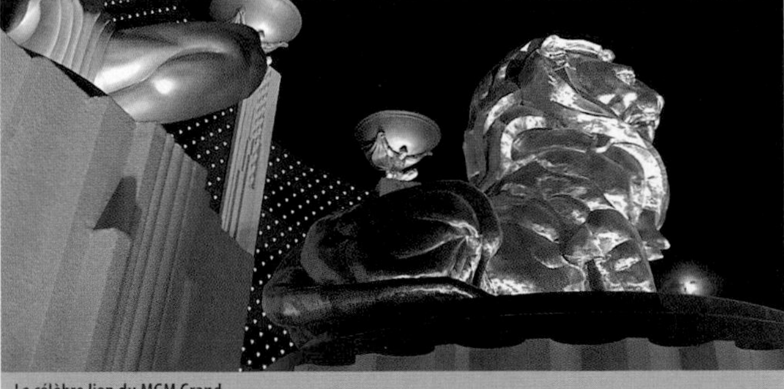

Le célèbre lion du MGM Grand

MIRAGE

Fondé il y a plus de vingt ans par l'entrepreneur Steve Wynn, le **Mirage** (☎ 791-7111 ; www.mirage.com ; 3400 Las Vegas Blvd S ; Ⓜ Harrah's/Imperial Palace) n'a rien perdu de son exotisme. Il s'enorgueillit d'un cadre tropical jusque dans son atrium, agrémenté de végétation luxuriante et de chutes d'eau (p. 78) et parfumé d'effluves de vanille et de jasmin. Emblème de Vegas, son majestueux volcan (p. 81) se réveille tous les soirs.

Autour de l'atrium, le vaste casino lui aussi très verdoyant décline le thème des îles. Les salles de jeux, isolées les unes des autres, offrent une atmosphère presque intimiste. Une salle de poker est réservée aux joueurs misant de fortes sommes.

Le Mirage s'était vu reléguer au second plan par les nouveaux méga-complexes du Strip, dont le casino éponyme de Steve Wynn situé non loin. Mais il a retrouvé une seconde jeunesse grâce au succès de *LOVE* (p. 146), le spectacle du Cirque du Soleil, et à l'ouverture du Lounge Revolution inspiré des Beatles (p. 153), d'un club torride, le Jet (p. 142), du Rhumbar (p. 137), du bar de piscine pour adultes Bare (voir encadré, p. 154) et de restaurants inspirés (p. 109).

Bien que Siegfried et Roy, célèbre duo d'illusionnistes, ne se produisent plus au Mirage, vous pourrez toujours visiter leur Secret Garden & Dolphine Habitat (p. 78) et admirer les statues en bronze des anciens grands magiciens.

Le monde sous-marin exposé dans le hall du Mirage

NEW YORK-NEW YORK

Le **New York-New York** (☎ 740-6969 ; www.nynyhotelcasino.com ; 3790 Las Vegas Blvd S ; Ⓜ MGM Grand) est une métropole miniature rassemblant des modèles réduits de l'Empire State Building, de la statue de la Liberté, du pont de Brooklyn ou encore des immeubles Chrysler et Ziggurat, le tout entouré de montagnes russes (p. 82). La clientèle est ici jeune et festive.

Ne manquez pas la carte des États-Unis au café America ni les rues pavées de Greenwich Village. Si vous n'aimez pas les bains de foule, sachez que, dans cette version très Disney de la Grosse Pomme, 15 millions de piétons traversent chaque année le pont de Brooklyn alors qu'ils ne sont que 200 000 à l'emprunter dans la mégalopole d'origine.

Sur fond de monuments new-yorkais pullulent les machines à sous et les tables de jeu, avec notamment Gaming on the Green, une zone réservée aux mises élevées. Le Bar de Times Square (p. 133) est réputé pour ses duels au piano. Des formations celtiques se produisent en direct au Nine Fine Irishmen (voir encadré, p. 136), parfait pour siroter un verre en extérieur, tandis que le Pour 24 (voir encadré, p. 136) propose des bières artisanales nord-américaines. Les enfants raffolent du Coney Island Emporium (p. 82), un jeu d'arcade installé à côté des montagnes russes.

Le Houdini's Magic Shop dévoile ses secrets au New York-New York

PALAZZO

Petit frère du Venetian (p. 62) situé en face du Wynn, le **Palazzo** (☎ 607-7777 ; www.palazzolasvegas.com ; 3325 Las Vegas Blvd S ; Ⓜ Harrah's/Imperial Palace) a ouvert ses portes en fanfare en 2008. Cet hôtel-casino ultrasélect aurait dû s'appeler le Lido, du nom de l'île située en face de Venise. Ici, un passage couvert permet de relier les deux complexes en quelques minutes.

Dans le vaste hall très lumineux, les visiteurs se bousculent pour photographier une impressionnante chute d'eau. S'élevant sur 50 étages, la tour de l'hôtel réservée aux suites est l'une des plus hautes du Strip. S'étendant sur plus de 30 500 m^2, le casino dispose de jeux de table à mises minimales élevées, mais aussi de machines à sous et de machines de vidéo-poker où les chances de gagner sont limitées.

Les Shoppes (p. 94) recèlent des boutiques de créateurs internationaux, tandis que le Canyon Ranch SpaClub est parfait pour se ressourcer. Au nombre des restaurants gastronomiques (p. 111) figurent les établissements de deux grands chefs, Emeril Legasse et Wolfgang Puck.

Les fontaines du Palazzo

PALMS

S'adressant surtout aux trentenaires, l'ultramoderne **Palms** (☎ 942-7777 ; www.palms.com ; 4321 W Flamingo Rd ; 🚌 202) est devenu célèbre depuis qu'il a servi de cadre à la série de téléréalité *Real World* et au jeu *Celebrity Poker Showdown*. C'est désormais le Playboy Club de Hugh Hefner qui attire les foules, même s'il faut débourser une coquette somme pour pénétrer dans ce club-casino perché au sommet de la Fantasy Tower. Dans la tour se trouve la clinquante boîte Moon (p. 143), dont le toit se rétracte pour admirer le ciel étoilé du désert.

L'ambiance dans les étages inférieurs est tape-à-l'œil et libérée – à l'image des serveuses Playboy qui opèrent au-dessus. Le casino principal dispose d'un service à cocktail rapide, de machines de vidéo-poker aux paiements avantageux, de deux salles de poker, d'une salle de paris hippiques et sportifs avec écrans TV interactifs et guichets de paris spéciaux. Une belle salle de cinéma (p. 137) accueille le festival annuel CineVegas (p. 132).

Parmi les autres curiosités des lieux figurent le Hart & Huntington Tattoo Shop, avec ses cabines de diseurs de bonne aventure, le steakhouse N9NE (p. 127), les restaurants tout en hauteur Alizé (p. 125) et Nove Italiano (p. 127), le Ghostbar (p. 153) – un bar-lounge panoramique assidûment fréquenté par le beau monde, et The Pearl (p. 140), une salle de concert doublée d'un studio d'enregistrement dernier cri.

Nouvel atout du Palms, le Palms Place est un hôtel en multipropriété situé à côté, où vous pourrez vous prélasser dans le Drift Spa & Hammam (p. 148).

Ambiance feutrée dans un bar du Palms

PARIS LAS VEGAS

Inspiré par la capitale française, le **Paris Las Vegas** (☎ 946-7000 ; www.parislasvegas.com ; 3655 Las Vegas Blvd S ; Ⓜ Bally's/Paris) abrite des reproductions de ses plus monuments les plus emblématiques : le palais Garnier, l'Arc de Triomphe, l'Hôtel de Ville, le Louvre et même la Seine. La principale curiosité demeure cependant la copie de la tour Eiffel (p. 82), dont les ascenseurs vitrés permettent de rejoindre une plate-forme d'observation surplombant le Strip.

Encadré de rues évoquant la Rive gauche et la Rive droite, le casino très animé, aménagé sous des stations de métro, possède une centaine de tables de jeu, plusieurs milliers de machines à sous, un guichet de paris hippiques et sportifs et des tables de roulette française (sans double zéro) dans la zone à mises minimales importantes. Le Village Buffet (p. 113) propose des plateaux de fruits de mer, non loin de la charmante Creperie.

Le Paris est relié à la station de monorail Bally's par une petite galerie marchande.

Paris à la sauce Vegas !

PLANET HOLLYWOOD

Occupant le site légèrement à l'écart où se dressait autrefois l'Aladdin, le **Planet Hollywood** (☎ 785-5555 ; www.planethollywoodresort.com ; 3667 Las Vegas Blvd S ; Ⓜ Bally's/Paris) a mis un certain temps à se débarrasser de tous ses agréments moyen-orientaux – ce qui, au passage, fut considéré comme un crime de lèse-majesté par les amoureux du Vegas d'antan. Mais pour les clones de Paris Hilton comme pour les amateurs de championnats de poker, le nouveau complexe remplit sa mission.

Érigé dans les années 1950, l'Aladdin d'origine, où Elvis et Priscilla Presley s'étaient dit oui, fut détruit en 1998. Redessiné pour séduire la jet-set européenne et asiatique, le nouveau mégacomplexe Aladdin ouvrit ses portes deux ans plus tard. Peu après eut lieu la faillite la plus spectaculaire de l'histoire du Nevada, certains experts estimant même que les lieux faisaient l'objet d'un sortilège.

Les tout nouveaux propriétaires, les Harrah, ont toutefois conservé certains atouts de l'Aladdin, comme son savoureux Spice Market Buffet (p. 114), le bar à sushi Koi (p. 114) et le Strip House (p. 114), un steakhouse au cadre glamour.

Sachez que personne n'a encore fait fortune dans ce casino – pour l'heure du moins. Mieux vaut opter pour le shopping dans les boutiques voisines du Miracle Mile (p. 94) ou pour les soirées interminables du club Krāve (p. 142).

Les enseignes du Miracle Mile au Planet Hollywood

RIO

Hôtel-casino jouissant d'un vif succès, le **Rio** (☎ 777-7777 ; www.riolasvegas.com ; 3700 W Flamingo Rd ; navette gratuite du Strip) dégage en permanence une ambiance de carnaval, surtout au Masquerade Village, où se situe le cœur de l'action. Au cours du spectacle gratuit Show in the Sky, des chars suspendus par des rails au plafond défilent au-dessus des tables de jeu, pendant que des artistes en costume se trémoussent sur des airs de rock ou de jazz, en lançant des colliers de perle à l'assistance dans une bonne humeur contagieuse. Vous pouvez même monter dans l'un des chars et vous faire photographier gratuitement (sur réservation).

L'immense casino à la décoration brésilienne occupe une grande partie du Village. Ses *bevertainers* (serveuses dénudées) vous apportent votre boisson entre deux tours de chants et de danse de 90 secondes. Outre les 80 jeux de table et les 1 200 machines à sous, le Rio possède une salle de poker, où se déroulent de redoutables championnats internationaux (p. 133). Au 50e étage, le VooDoo Lounge, au décor très Nouvelle-Orléans, offre une vue à 360° sur le Strip. Le bowling Lucky Strike Lanes fait la joie de la jeunesse branchée et des étudiants. La nuit tombée, les illusionnistes Penn & Teller (p. 138) et les danseurs Chippendales (p. 152) attirent les foules en mal de divertissement.

Euphorie et ambiance latina au Rio

SAHARA

Situé dans une zone isolée du Strip Nord, le **Sahara** (☎ 737-2111 ; www.saharavegas.com ; 2535 Las Vegas Blvd S ; Ⓜ Sahara) est un rescapé : c'est l'un des rares anciens emblèmes de Vegas à résister à l'assaut des nouveaux mégacomplexes. Depuis son inauguration en 1952, le casino a accueilli dans sa Conga Room les plus grandes vedettes, de la chanteuse de jazz Ella Fitzgerald aux Beatles.

Donnant sur le Strip, la grande coupole à arcades, entourée de dizaines de palmiers, est une introduction à l'ambiance *Mille et Une Nuits* que l'on retrouve à l'intérieur du casino, avec des plafonds à dorures, des colonnes enlacées par la vigne et des statues de sultans à l'allure austère. Le casino dispose d'un choix exceptionnel de jeux de cartes (qui risquent d'ailleurs de vous laisser à sec). Elvis Presley et Elizabeth Taylor se prélassèrent jadis au bord de la piscine décorée de mosaïques.

Le Sahara a toutefois perdu de son faste. Il est désormais surtout fréquenté par les amateurs de courses automobiles Nascar, qui enchaînent les bières au Nascar Café, aménagé autour de Carzilla, le plus gros spécimen de stock-car au monde. Pour plus de frissons, le Sahara abrite des montagnes russes, dont le Speed (p. 83) qui traverse la grande enseigne du casino.

Le Sahara, pour les nostalgiques des Fabulous Fifties

STRATOSPHERE

Si Las Vegas ne manque pas d'édifices vertigineux, le **Stratosphere** (☎ 380-7777 ; www.stratospherehotel.com ; 2000 Las Vegas Blvd S ; Ⓜ Sahara) est le seul à compter plus de cent étages ! Dressée sur une structure à trois pieds à près de 360 m de hauteur, la tour fuselée est la plus haute construction des États-Unis, à l'ouest du Mississippi. Le casino, aménagé à la base de la tour, est fréquenté par une clientèle joyeuse et relativement bruyante. Sans thème particulier, il compte des jeux de table à faibles mises minimales, plus 1 500 *loose slots* (bandits manchots ; machines à sous) et machines de vidéo-poker.

Le sommet de la tour est accessible grâce à des ascenseurs ultrarapides, qui parcourent 108 étages en 37 secondes. Là haut, des plates-formes d'observation (p. 23) offrent un panorama unique à 360°. Vous trouverez aussi un restaurant pivotant (p. 115) et un bar à cocktail raffiné (p. 132). Achevez l'expérience par une poussée d'adrénaline sur les montagnes russes installées en haut du Stratosphere (p. 84).

Ensuite, pourquoi ne pas assister à l'un des spectacles les plus sirupeux du Strip, telle la représentation *Bite* sur le thème des vampires, avant d'aller dépenser votre menue monnaie au Bonanza Gifts (p. 98), temple du kitsch.

Frissons garantis au 110e étage du Stratosphere

TI (TREASURE ISLAND)

À la fin des années 1990, le **Treasure Island** (TI ; ☎ 894-7111 ; www.treasureisland.com ; 3300 Las Vegas Blvd S ; Deuce) a choisi d'abandonner son thème "Pirates des Caraïbes" d'origine, pour suivre une tendance un peu plus dévergondée adoptée par certains casinos de Vegas. De fait, s'il a conservé quelques traces de son esprit familial initial, l'ambiance générale est désormais celle des "Caraïbes pour adultes".

On rejoint les lieux par un ponton en bois, à proximité d'un faux village marin du XVIIIe siècle. Le *Sirens of TI* (p. 81) est un spectacle épicé qui se déroule plusieurs fois par soir, par beau temps. Le vaste casino dégage lui aussi une atmosphère débridée, avec ses bandits manchots Playboy à profusion. Les tables de jeu sont relativement proches les unes des autres, mais nul n'en paraît affecté car l'endroit est toujours bondé. Le TI abrite un immense spa ainsi que le restaurant Gilley's (p. 135). C'est ici que se joue le spectacle *Mystère* (p. 146) du Cirque du Soleil.

Un tramway assure une navette gratuite entre le TI et le Mirage voisin.

Bataille navale au Treasure Island

VENETIAN

L'entrepreneur Sheldon Adelson entama la construction de cette réplique de la véritable Venise – réputée avoir accueilli le tout premier casino – peu après la destruction spectaculaire et controversée du Sands en 1996. C'est en effet dans cet ancien hôtel-casino mythique que se produisait le Rat Pack : Frank Sinatra, Dean Martin, Sammy Davis Jr et le reste de la bande frayaient avec les vedettes du septième art, les sénateurs et les girls dans les années 1950. Avec la disparition du Sands, un pan de l'histoire de Vegas s'est effondré.

Romantique et luxueux, le **Venetian** (☎ 414-1000 ; www.venetian.com ; 3355 Las Vegas Blvd S ; Ⓜ Harrah's/Imperial Palace) s'enorgueillit de reproductions des célèbres monuments de la Serenissima : le palais des Doges, le Campanile, la place Saint-Marc, et même le Rialto version miniature et agrémenté d'un tapis roulant ! Les ponts, les canaux, les piazzas et les rues pavées imitent fidèlement l'ambiance vénitienne, notamment à l'intérieur des Grand Canal Shoppes (p. 93), d'où partent les gondoles (p. 84). Au sein du vaste casino, les amateurs de poker jouent gros et sans limite au Texas Hold'em (p. 175). Le Venetian abrite aussi le Tao (p. 144), un club torride, l'excellent spa et centre de remise en forme Canyon Ranch SpaClub (p. 148), ainsi que des établissements gastronomiques (p. 116).

Le Venetian est relié au Palazzo voisin (p. 54) par les Shoppes (p. 94).

Dolce vita assurée au Venetian

WYNN ET ENCORE

Au lieu de faire appel à un volcan en éruption ou à la tour Eiffel pour séduire les foules, le **Wynn Las Vegas** (☎ 770-7000 ; www.wynnlasvegas.com ; 3145 Las Vegas Blvd S ; 🚌 Ace Gold, Deuce), qui doit son nom à l'entrepreneur Steve Wynn, a misé sur l'exclusivité – en poussant la porte du Wynn, vous échappez à la foule qui se déverse sur Las Vegas Blvd et vous vous réfugiez dans un luxueux havre de paix. Les VIP qui réservent une suite pénètrent par une entrée annexe.

L'intérieur de ce complexe aux teintes cuivrées est agrémenté d'innombrables mosaïques aux couleurs chatoyantes, de grandes baies vitrées laissant filtrer la lumière naturelle et d'agréables patios. Les visiteurs admirent la boutique Ferrari/Maserati (p. 97), les magasins de haute couture de l'Esplanade (p. 95) et les somptueux restaurants (p. 117). Le vaste casino abrite une salle de poker qui attire les gros joueurs 24h/24, des machines à sous acceptant des mises entre 1 ¢ et 5 000 $, ainsi que des jeux de table pour la plupart à mises élevées.

Ce mégacomplexe n'était sans doute pas suffisant pour Wynn, qui a aussi fait édifier l'**Encore** (☎ 770-8000 ; www.encorelasvegas.com ; 3111 Las Vegas Blvd S ; 🚌 Ace Gold, Deuce) juste à côté. Peaufinez votre bronzage à l'Encore Beach Club ou lancez-vous sur la piste du club XS (p. 144). Les nostalgiques de l'époque du Rat Pack apprécieront le restaurant Sinatra (p. 117), tandis que l'étonnant steakhouse Switch (p. 118) mérite une visite.

Deux sinon rien au Wynn et à l'Encore

AUTRES CASINOS

BALLY'S

☎ 739-4111 ; www.ballyslasvegas.com ; 3645 Las Vegas Blvd S ; M Bally's/Paris

Ce mégacomplexe assez terne ne décline aucun thème spécifique. Aussi grand qu'un terrain de foot, son casino guindé est agrémenté de lustres étincelants et de fauteuils en velours. Mais la principale attraction est ici *Jubilee!* (p. 145), le spectacle de revue ayant tenu le plus longtemps l'affiche à Las Vegas. Après la représentation, les danseuses tout en jambes posent souvent pour leurs admirateurs dans le lounge Indigo du casino. Vous pourrez aussi prendre part à la visite des coulisses (p. 146). La station de monorail se trouve derrière le complexe ; à l'intérieur, une passerelle permet de rallier le Paris Las Vegas.

BILL'S GAMBLIN' HALL & SALOON

☎ 737-2100 ; www.billslasvegas.com ; 3595 Las Vegas Blvd S ; M Flamingo/ Caesars Palace

Ce petit casino d'influence victorienne s'enorgueillit d'imposants chandeliers, de vitraux de style Tiffany et d'un mobilier en bois sombre. Seule la station Main Street (p. 67), dans Downtown, évoque aussi bien le Nevada du début du XXe siècle. Initialement baptisé le Barbary Coast, cet établissement des années 1970 compte 650 machines à sous et de vidéo-poker, ainsi que des jeux de table. En sous-sol, le club Drai's (p. 153) attire les noceurs pour des afters branchés. Des spectacles comme Big Elvis sont organisés dans le lounge. Stationner ici relève de l'impossible ; mieux vaut emprunter le monorail et arriver à pied.

BINION'S

☎ 382-1600 ; www.binions.com ; 128 E Fremont St ; Deuce

Fondé en 1951 par le joueur texan Benny Binion, qui arborait des pièces d'or en guise de boutons sur ses chemises de cow-boy, le Binion's Horseshoe n'imposait aucune limitation au montant des paris et donna naissance aux championnats du monde de poker. Depuis la disparition de son fondateur, le casino tente de se montrer à la hauteur de son passé. Un détour par

MEILLEURES SALLES POUR PETITS JOUEURS

Que vous soyez en quête de machines de vidéo-poker à 5 ¢ ou de jeux de roulette avec mise minimale à 25 ¢, rassemblez vos forces et commencez, dans Downtown, par le **Golden Gate** (ci-contre), le **Plaza** (p. 67) ou l'**El Cortez** (ci-contre) ou, sur le Strip, par le bruyant **Casino Royale** (ci-contre) ou le **Stratosphere** (p. 60).

la salle de poker permet de palper l'ambiance fiévreuse qui y règne.

CALIFORNIA

☎ 385-1222 ; www.thecal.com ; 12 E Ogden Ave ; Deuce

Dans de nombreux casinos de la ville, un coup de chance aux machines à sous peut vous permettre de repartir avec une Cadillac toute neuve. Au California, situé dans Downtown, vous auriez gagné le gros lot si vous remportiez un jour une petite PT Cruiser ! Dans cet hôtel des années 1970, même les croupiers portent des chemises hawaïennes car plus de 80% de la clientèle est originaire de l'île. Sur la passerelle menant à la station Main Street sont exposées des photos du Golden Arm Club qui immortalisent les heureux vainqueurs au craps.

CASINO ROYALE

☎ 800-854-7666 ; www.casinoroyalehotel.com ; 3411 Las Vegas Blvd S ; M Harrah's/Imperial Palace

Lassé des mégacomplexes aux machines de vidéo-poker où l'on ne gagne jamais et aux jeux de table dont les règles ne font que gonfler l'avantage du casino ? Si les chances de remporter le gros lot ne sont pas forcément extraordinaires ici, vous pourrez au moins effectuer de petites mises. Les boissons bon marché et les fast-foods aident à tenir le budget.

EL CORTEZ

☎ 385-5200 ; www.elcortezhotelcasino.com ; 600 E Fremont St ; Deuce

Établissement classique des années 1940, l'El Cortez évoque à merveille le Vegas d'autrefois. Dans le casino bondé et enfumé, les habitants de la région laissent, avec quelque réticence, les rares visiteurs participer à des jeux à faibles mises minimales (roulette, craps et autres jeux de table pour parieurs peu fortunés ou débutants). Aucun risque de perdre votre fortune ! L'El Cortez se trouve à quelques rues (c'est un peu loin) à l'est de Fremont Street Experience.

GOLDEN GATE

☎ 385-1906 ; www.goldengatecasino.net ; 1 E Fremont St ; Deuce

Situé à l'intersection de Fremont St et Main St, cet hôtel et maison de jeux de style rétro a été fondé en 1906, un an après la création de la petite ville née avec l'arrivée du chemin de fer. Dans les années 1950, le casino fut baptisé Golden Gate par un groupe d'Italo-Américains originaires de San Francisco et venus s'installer à "Sal Sagev" (Las Vegas à l'envers) comme on l'appelait autrefois. L'enseigne vintage du Golden Gate dégage un charme irrésistible. Dans ce casino à l'ambiance chaleureuse, vous pourrez jouer au craps et au black-jack à deux paquets de cartes (*double-deck*). Son restaurant est réputé pour ses cocktails de crevettes à 1,99 $ (p. 120).

HARRAH'S

☎ 369-5000 ; www.harrahslasvegas.com ; 3475 Las Vegas Blvd S ; Ⓜ Harrah's/Imperial Palace
Quoique moins fantasque que le Rio (p. 58), le Harrah's est sans doute le casino le plus convivial et le plus joyeux du Strip. Une gigantesque fresque à l'intérieur de l'hôtel représente les plus grands artistes de Vegas à travers les époques. Le divertissement demeure à l'honneur avec le club de comédie Improv (p. 138) et la présence d'autres comiques et magiciens réputés. Ne manquez pas les soirées karaoké TJ's All-Star (voir encadré, p. 139) au piano-bar et découvrez le repaire des barmen survoltés au Carnaval Court (p. 134).

Les habiles barmen du Carnaval Court, au Harrah's (p. 134)

IMPERIAL PALACE

☎ 731-3311 ; www.imperialpalace.com ; 3535 Las Vegas Blvd S ; Ⓜ Harrah's/Imperial Palace
Ignorez son architecture asiatique peu convaincante : c'est pour l'ambiance déjantée que l'on apprécie l'Imperial Palace, autrefois appelé le Flamingo Capri. Toujours pris d'assaut, ce casino au mobilier de bambou et de rotin rappelle l'atmosphère du film *Lady Chance*. Il recèle quantité de jeux de table à faibles mises, mais évitez le black-jack aux gains improbables. Tâchez d'assister à la relève nocturne des *dealertainers* (p. 78), des imitateurs de célébrités qui sont aussi les croupiers du lieu, ou admirez ces fausses vedettes dans le spectacle *Legends in Concert* (p. 146) du Harrah's (voir ci-dessus).

MAIN STREET STATION

☎ 387-1896 ; www.mainstreetcasino.com ; 200 N Main St ; Deuce
Ce casino de style victorien est rempli d'objets anciens, datant pour la plupart du début du XXe siècle : chandeliers Art nouveau provenant de Paris et vitraux récupérés dans

le manoir de Lillian Gish, vedette du muet. Les ravissants lustres en bronze au centre du casino se trouvaient dans le bâtiment Coca-Cola à Austin, au Texas, dans les années 1890. Les boiseries en acajou de la réception de l'hôtel et du club des joueurs proviennent d'un drugstore du Kentucky datant du XIXe siècle. Étrangement, c'est sur un morceau (couvert de graffitis) du mur de Berlin qu'ont été fixés les urinoirs ! Brochures disponibles à la réception pour une visite libre. Non loin du pub Triple 7 (p. 137).

MONTE CARLO

☎ 730-7777 ; www.montecarlo.com ; 3770 Las Vegas Blvd S ; Deuce

Derrière des colonnes de style corinthien, des arcs de triomphe, des jets d'eau et des statues se dresse un vaste casino très animé, quoique peu raffiné. Le marbre et les lustres en cristal de la réception évoquent les grands hôtels européens, même s'il s'agit surtout d'une sorte de Bellagio pour une clientèle désargentée. Le restaurant Diablo's Cantina, avec vue vertigineuse sur le Strip, est tape-à-l'œil. Musique live au Pub.

ORLEANS

☎ 365-7111 ; www.orleanscasino.com ; 4500 W Tropicana Ave ; navette gratuite du Strip

Situé à 1,5 km à l'ouest du Strip, cet hôtel-casino cherche tant bien que mal à recréer l'ambiance de La Nouvelle-Orléans. Le casino occupe une vaste salle rectangulaire remplie de machines à sous et de tables de jeu, mais vous trouverez aussi un bowling à 70 pistes, un cinéma de 18 salles et des bars, dont le Brendan's Irish Pub, qui organise parfois des concerts. Des artistes comme Willie Nelson se sont produits dans la salle de spectacles, tandis que des concerts et des rencontres sportives se déroulent à l'Arena (voir encadré, p. 151).

PLAZA

☎ 386-2110 ; www.plazahotelcasino.com ; 1 Main St ; Deuce

Édifié sur le site de l'ancien dépôt des chemins de fer de l'Union Pacific Railroad, le Plaza évoque les années 1970. Comme la plupart des établissements de Downtown, ce casino appartenant à Jackie Gaughan s'adresse plutôt aux petits parieurs. Son cadre n'évoque aucun thème précis, hormis celui de l'obsession du moindre coût, ce qui satisfait manifestement la clientèle, hypnotisée par les machines à sous à 1 ¢, les machines de vidéo-poker à 5 ¢ et le black-jack à 1 $. Des vieilles dames aux cheveux bleutés jouent inlassablement au bingo dans la salle de 400 places. Le bar à tapas Firefly offre une vue exceptionnelle sur la Fremont Street Experience (p. 80).

RED ROCK CASINO RESORT SPA

797-7777 ; www.redrocklasvegas.com ; 11011 W Charleston Blvd at I-215 ; 206

Installé relativement près du somptueux Red Rock Canyon (p. 160), ce complexe haut de gamme s'adresse à une clientèle qui demeure plutôt en périphérie de Vegas. Outre son grand casino, le Red Rock possède un spa en pleine nature (p. 149) et des restaurants qui se placent au-dessus de la moyenne, comme le très sain et délicieux LBS Burger Joint (p. 126).

RIVIERA

734-5110 ; www.rivierahotel.com ; 2901 Las Vegas Blvd S ; Deuce

Lors de son inauguration par Liberace en 1955, le Riviera était le premier gratte-ciel du Strip. Orson Welles y monta sur scène l'année suivante pour exécuter… des tours de magie. Quantité de vedettes se sont produites ici depuis, tels Louis Armstrong, Duke Ellington et Tony Bennett. Mais la période glamour est presque enterrée. À l'intérieur du casino sombre et étrangement conçu, la clientèle senior s'excite sur les machines à sous à très faibles mises. Devant l'entrée, la sculpture en bronze exposant les formes voluptueuses des Crazy Girls fait la joie des touristes en goguette.

SAM'S TOWN

456-7777 ; www.samstownlv.com ; 5111 Boulder Hwy à l'angle d'E Flamingo Rd et de S Nellis Blvd ; 107, 202

Habitants de la région, éleveurs, cow-boys et voyageurs en camping-car fréquentent assidûment cet emblème de Las Vegas, qui ne manque pas de distractions avec ses innombrables tables de jeu (dont le black-jack à un seul jeu de cartes et la roulette électronique). Vous pourrez jeter un œil à la mode de style western proposée par la boutique Sheplers (p. 89), jouer au bowling, aller au cinéma ou vous restaurer au Billy Bob's Steak House and Saloon, qui propose d'énormes parts de gâteaux au chocolat.

SILVERTON

263-7777 ; www.silvertoncasino.com ; 3333 Blue Diamond Rd, par la I-15 ; 217

S'adressant à la même clientèle locale et rurale que le magasin voisin Bass Pro Shops Outdoor World (p. 96), le Silverton possède également des machines à sous et de vidéo-poker à 5 et 25 ¢. Leur camping-car stationné sur le parking, les seniors prennent d'assaut les lieux. Ne manquez pas le bowling miniature aménagé dans une caravane Airstream au Shady Grove Lounge.

TROPICANA

739-2222 ; www.troplv.com ; 3801 Las Vegas Blvd S ; M MGM Grand

Fondé en 1957, le Tropicana avait perdu de sa prestance en un demi-siècle et risquait la démolition. Grâce à une rénovation complète, il arbore fièrement une nouvelle ambiance raffinée, à mi-chemin entre La Havane et Miami. Les chambres de la Paradise Tower sont vastes et lumineuses. Installé dans le casino, le petit musée consacré à la mafia évoque l'atmosphère du vieux Vegas. Le complexe aquatique s'enorgueillit de piscines dans des lagons avec cascades et tables de black-jack pour jouer dans l'eau.

VEGAS CLUB

385-1664 ; www.vegasclubcasino.net ; 18 E Fremont St ; Deuce

Cet hôtel-casino offre une ambiance mi-sportive mi-tropicale plutôt chaleureuse. Il présente toute une collection de souvenirs ayant pour thème le sport, dont des battes de base-ball dédicacées par des champions. Le casino très décontracté abrite naturellement une salle de paris hippiques et sportifs avec gradins, où les courtiers arborent des uniformes de base-ball. On y trouve quelques machines de vidéo-poker à paiements avantageux et des tables de black-jack à deux jeux de cartes.

>LAS VEGAS

Voitures anciennes chez Auto Collections (p. 95)

HOTEL
HOT ROASTED CINNAMON NUTS
POPCORN
FRESH HOT
POPCORN
ROASTED NUTS

VOIR

Les curiosités ne manquent pas à Las Vegas et, une chose est sûre, vous n'aurez pas le temps de tout voir ni de tout faire. C'est aussi cette liste infinie de distractions qui fait le charme de la capitale mondiale du jeu.

Le constat est d'autant plus évident pour le Strip, où s'alignent la grande majorité des hôtels-casinos et des attractions à tous les prix. Même en consacrant 24 heures complètes à un seul de ces mégacomplexes, vous seriez encore loin d'avoir fait le tour de ses possibilités.

Une fois las du faste clinquant du Las Vegas Blvd, il vous restera à découvrir Downtown et son spectacle de lumières, Fremont Street Experience, la scène artistique florissante des quartiers Fremont East Entertainment et 18b Arts, des musées originaux ainsi que d'autres attractions en périphérie de Vegas ou dans le désert au sud-ouest (p. 155).

En établissant votre programme autour d'un bon brunch, n'oubliez pas qu'il vous faudra du temps pour vous déplacer à travers la ville.

CYBERMUSÉES

Las Vegas n'a pas pour habitude de conserver ses vieux souvenirs. Par chance, certains finissent dans les **Collections spéciales de l'UNLV** (université du Nevada, Las Vegas ; www.library.unlv.edu/speccol). La Lied Library de l'UNLV conserve un certain nombre de livres, photos, cartes, affiches, manuscrits et autres objets datant des débuts tumultueux de la ville. Pour les découvrir depuis votre chambre d'hôtel, profitez des expositions en ligne, gratuites et accessibles en permanence. Le **Center for Gaming Research** (http://gaming.unlv.edu/v_museum) de l'université possède un musée virtuel, qui présente une exposition photo des plus belles enseignes du Strip, une rétrospective des championnats du monde de poker, ainsi que des souvenirs de l'époque du Rat Pack.

En haut à gauche Pour un en-cas dans Downtown **En bas à gauche** Laissez le King vous marier dans une chapelle de Vegas (p. 84)

GALERIES D'ART ET MUSÉES

Vous trouverez d'autres musées insolites ou extravagants p. 78.

ARTS FACTORY

382-3886 ; www.theartsfactory.com ; 101-109 E Charleston Blvd ; généralement 12h-17h mar-sam, jusqu'à 22h dernier ven du mois ; 206

Vous y découvrirez des ateliers d'artistes locaux, parfois déroutants, toujours fascinants, ainsi que le Contemporary Arts Center, pivot de la communauté artistique.

Tableau en gros plan à l'Arts Factory

En face, la Brett Wesley Gallery (www.brettwesleygallery.com) accueille des expositions photo.

ATOMIC TESTING MUSEUM

794-5151 ; www.atomictestingmuseum.org ; 755 E Flamingo Rd ; tarif plein/réduit 12/9 $; 10h-17h lun-sam, 12h-17h dim ; 202

Un remarquable musée multimédia qui retrace l'histoire des essais nucléaires dans le désert du Nevada. Visionnez des images d'archives à l'intérieur du Ground Zero Theater, reproduction d'un bunker anti-atomique. Le billet d'entrée s'achète auprès d'une réplique d'un poste de garde du Nevada Test Site. Pour plus d'informations sur le musée, voir p. 15.

BELLAGIO GALLERY OF FINE ART

693-7871, 877-957-9777 ; www.bellagio.com ; Bellagio, 3600 Las Vegas Blvd S ; tarif plein/réduit 15/10-12 $; 10h-18h dim-mar et jeu, 10h-19h mer, ven et sam, dernière admission 30 min avant fermeture ; M Bally's/Paris

Depuis que Steve Wynn a revendu le Bellagio au MGM Mirage, le casino n'est plus nanti d'œuvres exceptionnelles, mais sa petite galerie accueille toujours de très belles expositions temporaires. Des œuvres authentiques ornent les murs du restaurant Picasso.

Rick Harrison

Copropriétaire de la boutique de prêt sur gages Gold & Silver Pawn (p. 99) et vedette de téléréalité

Quel est le principal malentendu associé au prêt sur gages ? Hollywood a terni son image alors que, jusque dans les années 1950, il représentait la plus grosse forme de crédit à la consommation des Américains. **Comment êtes-vous devenu un tel touche-à-tout ?** Je suis un vrai rat de bibliothèque. En rentrant chez moi, je passais 3 à 4 heures à lire tous les soirs, surtout des ouvrages d'histoire. **En quoi votre émission Pawn Stars sur la chaîne History a-t-elle modifié votre façon de travailler ?** Avant, j'achetais presque un objet sur deux parmi ceux que l'on m'apportait, maintenant je peux passer une journée entière à m'interroger sur les objets les plus bizarres. **L'article le plus insolite qu'on ait tenté de vous vendre ?** Un costume ayant appartenu au colonel Sanders (fondateur du Kentucky Fried Chicken). **Des remords après une acquisition ?** J'avais acheté des diamants d'une valeur de 40 000 $, mais la police s'est présentée et les a saisis car il s'agissait de pierres volées. **Votre conseil aux visiteurs découvrant Vegas ?** Évitez la roulette !

CLARK COUNTY MUSEUM

455-7955 ; www.accessclarkcounty.com ; 1830 S Boulder Hwy, Henderson ; tarif plein/réduit 1,50/1 $; 9h-16h30 ; 402 ;

Si vous vous dirigez vers le barrage de Hoover, ce musée à la limite de la vallée mérite une halte. Modeste mais surchargé, il retrace le passé de Las Vegas, de l'époque où le site était recouvert par les eaux jusqu'au peuplement amérindien et à la fondation de cette ville frontière. Après la visite, admirez les superbes maisons anciennes dans Heritage St.

COMMERCE STREET STUDIOS

678-6278 ; www.commercestreetstudios.com ; 1551 S Commerce St ; horaires variables ; 108

Installés dans le 18b Arts District, Downtown, ces ateliers d'artistes indépendants et éclectiques constituent le cœur névralgique des soirées First Friday (p. 14).

EROTIC HERITAGE MUSEUM

369-6442 ; www.eroticheritage.org ; 3275 Industrial Rd ; don recommandé 15 $; 18h-22h mer et jeu, 15h-24h ven, 12h-24h sam et dim ; 213

Jouxtant un club de strip-tease, ce temple de l'érotisme propose œuvres d'art, films et accessoires. Ne manquez pas l'immense pénis fabriqué avec 10 000 pièces de cuivre. Les salles de projection à l'étage diffusent des films X. Certaines créations sont en vente.

NEON MUSEUM

387-6366 ; www.neonmuseum.org ; galeries de Fremont St 24h/24, visite du "cimetière" sur réservation uniquement ; Ace Gold (Fremont St), 113 (Boneyard)

Ce n'est pas à proprement parler un musée mais une promenade dans Downtown où on découvre des enseignes rétro : panneaux de motel des années 1940, lampes d'Aladin ou verres à cocktail. La plupart se trouvent à l'intérieur du Neonopolis et dans les impasses au nord de la Fremont Street Experience (p. 80). Visite du "cimetière" (boneyard) des vieux néons sur réservation. Exposition permanente à venir.

SPRINGS PRESERVE

822-7700 ; www.springspreserve.org ; 333 S Valley View Blvd ; tarif plein/réduit 19/11-17 $; 10h-18h ; 207 ;

Ce site passionnant (voir p. 24) est une réalisation écologique majeure de la ville. Le musée Origen Experience fait le lien entre l'histoire écologique et culturelle de Las Vegas ; le Desert Living Center envisage un avenir plus respectueux de la nature. Sentiers à travers le désert, café écolo Wolfgang Puck et boutique de souvenirs.

UNLV MARJORIE BARRICK MUSEUM

895-3381 ; http://barrickmuseum.unlv.edu ; 4505 S Maryland Parkway ; don recommandé tarif plein/réduit 5/2 $; 8h-16h45 lun-ven, 10h-14h sam ; 109 ;

Un musée consacré aux tout premiers habitants de Las Vegas : les Paiutes du Sud et les autres peuples amérindiens du Sud-Ouest. Il présente aussi des objets précolombiens. Au printemps et à l'automne, l'université organise des conférences scientifiques gratuites et ouvertes à tous. Petit jardin de plantes du désert du Mojave.

JARDINS ET VIE SAUVAGE

Les sentiers et jardins de la Springs Preserve (ci-contre et p. 24) sont ouverts tous les jours. Participation libre.

BELLAGIO CONSERVATORY & BOTANICAL GARDEN

693-7111 ; www.bellagio.com ; Bellagio, 3600 Las Vegas Blvd S ; 24h/24 ; M Bally's/Paris

Une fois franchie l'entrée de l'hôtel, au spectaculaire plafond orné d'une œuvre de Dale Chihuly faite de 2 000 fleurs de verre soufflées, on découvre le jardin d'hiver et ses compositions florales aménagées sous une verrière de 15 m de haut.

FLAMINGO WILDLIFE HABITAT

733-3111 ; www.flamingolasvegas.com ; Flamingo, 3555 Las Vegas Blvd S ; 24h/24 ; M Flamingo/Caesars Palace

Fuyez la frénésie du casino pour venir admirer ces vastes jardins agrémentés de bassins, de cascades et de canaux où évoluent cygnes, oiseaux exotiques et carpes koï aux belles couleurs. Des flamants du Chili et des manchots du Cap vivent ici, tandis que des palmiers et des plantes tropicales s'épanouissent au cœur du désert.

LION HABITAT DU MGM GRAND

891-1111 ; www.mgmgrand.com ; MGM Grand, 3799 Las Vegas Blvd S ; 11h-19h ; M MGM Grand

MGM possède un grand nombre de ces superbes lions, tous descendants de la célèbre mascotte de la compagnie, mais ils ne sont visibles que deux par deux dans l'enclos. Levez les yeux : les félins aiment se prélasser au-dessus de la passerelle en verre sécurisé empruntée par les visiteurs.

MIRAGE CASINO HOTEL

791-7111 ; www.mirage.com ; Mirage, 3400 Las Vegas Blvd S ; 24h/24 ; M Harrah's/Imperial Palace

L'atrium de ce casino apprécié des flambeurs n'est autre qu'une réplique somptueuse de forêt tropicale avec cours d'eau, cascades et végétation luxuriante. D'innombrables broméliacées prospèrent grâce à un système d'humidification informatisé. Les senteurs des plantes exotiques se répandent même jusqu'à la réception de l'hôtel, où un immense aquarium de 76 000 litres renferme quelque 60 espèces tropicales, du poisson-globe au requin pygmée.

SHARK REEF

632-4555 ; www.sharkreef.com ; Mandalay Bay, 3950 Las Vegas Blvd S ; tarif plein/réduit 16/11 $; 10h-20h dim-jeu, 10h-22h ven et sam, dernière admission 1 heure avant la fermeture ; Deuce

Vous pourrez traverser à pied l'aquarium du Mandala Bay, qui contient 2 000 espèces de poissons et de mammifères marins, dont la méduse, la murène, la raie et certains requins. Parmi les reptiles menacés présents figurent certains des derniers crocodiles dorés. L'équipe de biologistes, soigneurs-plongeurs et zoologistes se tient à votre disposition pour vous renseigner. Et pourquoi ne pas plonger vous-même (à partir de 650 $) ?

SIEGFRIED & ROY'S SECRET GARDEN & DOLPHIN HABITAT

791-7188 ; www.miragehabitat.com ; Mirage, 3400 Las Vegas Blvd S ; tarif plein/réduit 15/10 $; 11h-17h30 lun-ven, 10h-17h30 sam et dim, 10h-19h tlj en été, dernière admission 30 min avant la fermeture ; M Harrah's/Imperial Palace

Bien que la visite audioguidée vante les efforts des lieux en matière de préservation des espèces, on ne peut que constater l'étroitesse des enclos des animaux en voie d'extinction comme le léopard des neiges, la panthère noire, le lion blanc et le tigre blanc. Les petites superficies des bassins des grands dauphins fendent le cœur.

LAS VEGAS INSOLITE

IMPERIAL PALACE (DEALERTAINERS)

731-3311 ; www.imperialpalace.com ; Imperial Palace, 3535 Las Vegas Blvd S ; toutes les 15-30 min 11h-4h ; M Harrah's/Imperial Palace

Les *dealertainers*, ces croupiers et autres imitateurs de célébrités, quittent soudain leur table de black-jack pour exécuter de divertissants numéros de chant et de danse sur scène. Ne manquez pas le moment où les équipes se relaient, souvent vers 20h.

LIBERACE MUSEUM

798-5595 ; www.liberace.org ; 1775 E Tropicana Ave ; tarif plein/réduit 15/10 $; 10h-17h mar-sam, 12h-16h dim, visite guidée 11h & 14h mar-sam, 13h dim ; 201

STRIPPER 101

Les effeuilleuses sont un emblème de Vegas, qui propose désormais à Madame Tout-le-Monde des cours de danse à la barre verticale. Prisé pour les enterrements de vie de jeune fille, le **Stripper 101** (☎ 260-7200 ; www.stripper101.com ; V Theater, Miracle Mile Shops, 3663 Las Vegas Blvd S ; leçon à partir de 40 $; horaires variables ; M Bally's/Paris) offre un cadre de cabaret classique (lumières stroboscopiques, cocktails et boas à plumes, etc.). Les élèves repartent avec leur diplôme de "véritable stripteaseuse de Las Vegas". Il est interdit de se dévêtir intégralement. Prévoyez une tenue et des chaussures confortables, et aussi des escarpins pour vous pavaner.

Les amateurs d'originalité ne manqueront pas ce musée (p. 20), qui conserve les flamboyantes automobiles, les costumes délirants et les pianos tarabiscotés du pianiste le plus kitsch de l'histoire de Las Vegas. Remarquez le Pleyel peint à la main, la Rolls-Royce et les fourrures hors de prix. Il était question néanmoins que le musée ferme ses portes ; renseignez-vous au préalable.

MADAME TUSSAUDS LAS VEGAS

☎ 862-7800 ; www.madametussauds.com ; devant le Venetian, 3377 Las Vegas Blvd S ; tarif plein/réduit 25/15-18 $; 10h-21h dim-jeu, 10h-22h ven et sam ; M Harrah's/Imperial Palace

Dans ce musée de cire interactif, à côté du Rialto, vous pourrez poser aux côtés de Barack Obama, Michael Jackson ou bien vous asseoir sur les genoux de Hugh Hefner (fondateur du magazine *Playboy*), réalisés en silicone.

PINBALL HALL OF FAME

www.pinballmuseum.org ; 1610 E Tropicana Ave ; entrée libre, généralement 25-50 ¢ ; 11h-23h dim-jeu, 11h-24h ven et sam ; 201

L'animateur Tim Arnold laisse tous les visiteurs jouer sur ses quelque 200 flippers, jeux d'arcade et de foire, datant des années 1950 aux années 1990. Les bénéfices sont reversés à des œuvres de bienfaisance. Le PHoF se trouve à l'est du Strip, non loin du Liberace Museum.

SLOTS A' FUN

☎ 734-0410 ; 2890 Las Vegas Blvd S ; 24h/24 ; Deuce

Pour s'amuser sans se ruiner, difficile de trouver mieux que ce tripot. Emparez-vous d'un carnet de coupons de réduction, essayez l'immense machine à sous gratuite ou grignotez un hot-dog géant. Ce petit casino accueille de modestes spectacles. Stationnez au Circus Circus (p. 44) voisin.

PLEIN LES YEUX

Nombre de casinos du Strip entendent éblouir les spectacteurs par leurs fastueux spectacles gratuits. Dans Downtown, rien ne vaut le son et lumière Fremont Street Experience.

CIRCUS CIRCUS MIDWAY

☎ 734-0410 ; www.circuscircus.com ; Circus Circus, 2880 Las Vegas Blvd S ; toutes les 30 min 11h-24h ; Deuce

Le numéro d'acrobaties – avec trapézistes, funambules, jongleurs et monocyclistes – se déroule sur une grande scène de ce casino qui servit de cadre au film *Austin Powers*. Installez-vous dans le bar pivotant Horse-A-Round, rendu célèbre par le récit déjanté *Las Vegas Parano* de Hunter S. Thompson.

FOUNTAINS OF BELLAGIO

☎ 693-7111 ; www.bellagio.com ; Bellagio, 3600 Las Vegas Blvd S ; toutes les 30 min 15h-20h lun-ven, 12h-20h sam et dim toutes les 15 min 20h-24h tlj ; M Bally's/Paris

Avec son architecture toscane, son lac artificiel et sa chorégraphie de jets d'eau, le Bellagio offre une image particulièrement incongrue dans ce cadre de désert – il s'efforce toutefois d'utiliser de l'eau recyclée ! La bande sonore du spectacle varie, de l'opéra italien aux crooners en passant par la musique country.

FREMONT STREET EXPERIENCE

☎ 678-5777 ; www.vegasexperience.com ; Fremont St, entre Main St et Las Vegas Blvd ; toutes les heures crépuscule-24h ; Ace Gold, Deuce

Une sono de 550 000 watts et un écran géant (Viva Vision) ont été intégrés à la verrière en acier de 430 m de long installée au-dessus de Fremont St. Lorsque le son et lumière sirupeux commence, quelque 12,5 millions de diodes synchronisées s'allument sous les yeux hypnotisés des spectateurs. Les jours de grande chaleur, un système de brumisation installé dans la verrière rafraîchit le public.

MIRAGE VOLCANO

☎ 791-7111 ; www.mirage.com ; Mirage, 3400 Las Vegas Blvd S ; toutes les heures 20h-24h, dès 18h/19h hiver/printemps ; M Harrah's/Imperial Palace

Guettez les volutes de fumée qui s'élèvent à 27 m de hauteur au-dessus du volcan du Mirage, c'est le signe que le spectacle va bientôt commencer. Lorsque l'éruption débute (toutes les heures) dans un grondement sourd au-dessus d'un vaste lagon à la polynésienne surmonté de chutes vertigineuses, la circulation sur le Strip ralentit brusquement ; le show est alors imminent.

"WELCOME TO FABULOUS LAS VEGAS"

Au sud du Strip se dresse la mythique **enseigne Welcome to Fabulous Las Vegas Nevada** (5200 Las Vegas Blvd S, sud de W Russell Rd), constituée de néons s'illuminant la nuit. D'innombrables limousines et autocars déversent leurs lots de touristes venus poser avec un sosie d'Elvis Presley à côté du célèbre panneau d'accueil.

Lorsque Betty Willis dessina l'enseigne en 1959 en ajoutant une version moderne de l'étoile atomique à son sommet, le thème était tout à fait d'actualité. Si vous avez raté votre photo, vous pourrez commander une version miniature de l'enseigne sur www.lvsignco.com.

SIRENS OF TI

☎ 894-7111 ; www.treasureisland.com ; Treasure Island, 3300 Las Vegas Blvd S ; 19h, 20h30 et 22h (également 17h30 en hiver et 23h30 l'été), selon météo ; Ace Gold, Deuce

Le Sirens of TI est une parodie hilarante et croustillante de bataille navale où de sensuelles tentatrices légèrement vêtues disputent à de virils flibustiers leur part du butin. Le vaisseau pirate espagnol et la frégate de l'Empire britannique s'affrontent dans la crique à l'extérieur du casino sur fond de musique tonitruante et de feux d'artifice.

MONTAGNES RUSSES ET JEUX D'ARCADE

ADVENTUREDOME

☎ 794-3939 ; www.adventuredome.com ; Circus Circus, 2880 Las Vegas Blvd S ; 4-7 $/manège, forfait journalier tarif plein/réduit 25/15 $; 10h-24h en été, horaires variables hors saison ; Deuce

Aménagé sous un dôme de verre, ce parc d'attraction réunit des manèges incontournables comme le Canyon Blaster à deux boucles et deux pirouettes ou le Sling Shot, une électrisante installation qui vous propulse dans les airs avec une accélération de 4g. Vous trouverez sur place un mur d'escalade, une installation pour le saut à l'élastique, un minigolf et des attractions en 4D. Des spectacles de clowns gratuits se déroulent toute la journée.

CONEY ISLAND EMPORIUM & ROLLER COASTER

☎ 740-6969 ; www.nynyhotelcasino.com ; New York-New York, 3790 Las Vegas Blvd S ; montagnes russes 14 $ (forfait journalier 25 $), jeux à partir de 50 ¢ ; 11h-23h dim-jeu, 10h30-24h ven et sam, selon météo ; M MGM Grand

Les sensations procurées par cette aventure de 4 minutes seraient similaires à celles ressenties dans un avion de chasse pendant un tonneau, avec des descentes à couper le souffle et une spirale à 540°. Accès par les arcades du Coney Island Emporium.

EIFFEL TOWER EXPERIENCE

☎ 888-727-4758 ; www.parislasvegas.com ; Paris Las Vegas, 3655 Las Vegas Blvd S ; tarif plein/réduit 10/7 $, après 19h15 15 $; 9h30-12h30, selon météo ; M Bally's/Paris

Pour concevoir cette réplique deux fois moins grande que l'originale, les ingénieurs ont consulté les plans de Gustave Eiffel, mais ils ont soudé la structure de 46 étages au lieu de la riveter. L'édifice est ininflammable et prévu pour résister à un tremblement de terre. Empruntez un ascenseur en verre jusqu'à la plate-forme pour jouir d'une vue panoramique sur le Strip, la vallée et les montagnes déchiquetées.

GAMEWORKS

☎ 432-4263 ; www.wegotfamily.com ; Showcase Mall, 3785 Las Vegas Blvd S ; jeux 50 ¢-3,50 $, jeux à volonté 1h/2h/3h/journée entière 20/25/30/35 $; 10h-24h dim-jeu, 10h-1h ven et sam ; M MGM Grand

Conçue par Steven Spielberg et réalisée par les studios de DreamWorks SKG avec l'aide de Sega et d'Universal Studios, cette salle high-tech a été aménagée dans un vaste espace en sous-sol doté d'un grand bar, de tables de billard, de quantité de jeux multijoueurs et de classiques comme Asteroids. Envahie par les enfants en journée – les plus de 18 ans affluent en fin de soirée.

La tour Eiffel revue et corrigée

POLE POSITION RACEWAY

☎ 227-7223 ; www.polepositionraceway.com ; 4175 S Arville St ; course par adulte/junior 25/22 $; 11h-23h dim-jeu, 11h-24h ven et sam ; 202

Imaginée par des champions de courses Nascar et Supercross, cette piste inspirée des circuits de Formule Un que l'on peut voir en Europe possède les karts d'intérieur les plus rapides du pays. Les pilotes junior/adulte qui veulent s'élancer sur les pistes doivent mesurer au moins 1,21 m/1,42 m.

RICHARD PETTY DRIVING EXPERIENCE

800-237-3889 ; www.drivepetty.com ; Las Vegas Motor Speedway, 7000 Las Vegas Blvd N, par la I-15 ; horaires variables

Si vous êtes curieux d'effectuer une course automobile digne des qualifications Nascar (159 $) ou de conduire un stock-car de 600 chevaux (399 $) atteignant les 240 km/h, c'est l'occasion rêvée de tester vos aptitudes. Au Speedway (p. 151), le **Mario Andretti Racing Experience** (877-722-3527 ; www.andrettiracing.com) vous propose également de piloter des bolides et de faire des courses sur circuit mais à des prix plus avantageux.

SKYJUMP

800-998-6937 ; www.skyjumplasvegas.com ; Stratosphere, 2000 Las Vegas Blvd S ; saut 100 $; 11h-1h dim-jeu, 11h-2h ven et sam, selon météo ; M Sahara

Cette chute libre de plus de 260 m de haut, à une vitesse atteignant 65 km/h, est sans doute la plus grisante des attractions du Stratosphere (ci-contre), si vous vous sentez prêt pour un grand saut dans le vide ! Depuis la plate-forme d'observation au 108e étage, vos amis seront béats d'admiration.

SPEED ET CYBER SPEEDWAY

737-2111 ; www.saharavegas.com ; Sahara, 2535 Las Vegas Blvd S ; course/forfait journalier 10/23 $; Speed 12h-20h lun-jeu, 12h-22h ven-dim, Cyber Speedway 12h-22h tlj ; M Sahara

Les simulateurs de voitures Indy sont si réalistes qu'ils séduisent même les vrais coureurs de Formule Un. Ces racers sont montés sur des plates-formes hydrauliques entourées d'écrans courbes. Ainsi, le Speed, perché sur une piste électromagnétique, vous entraîne "à travers" l'enseigne du Sahara à une vitesse atteignant 100 km/h.

STRATOSPHERE TOWER

380-7777 ; www.stratospherehotel.com ; Stratosphere, 2000 Las Vegas Blvd S ; ascenseur tarif plein/réduit 16/10 $, avec 3 attractions 30 $, forfait journalier 36 $; 10h-1h dim-jeu, 10h-2h ven et sam, selon météo ; M Sahara

Sensations garanties avec les plus vertigineuses attractions du Strip, au 110e étage du Stratosphere. Le Big Shot vous catapulte dans les airs avant de vous laisser retomber en chute libre. Arrimée au bord de la tour, l'Insanity vous fait tourner dans le vide. L'xScream est sans intérêt, hormis pour la vue. Si vous recherchez une vraie montée d'adrénaline, réservez-vous pour le SkyJump (ci-contre).

GONDOLES DU VENETIAN

☎ 414-4300 ; www.venetian.com ; Venetian, 3355 Las Vegas Blvd S ; 16 $/ pers, sortie privée pour 2 pers 64 $; 10h-22h45 dim-jeu, 10h-23h45 ven et sam, plein air 12h-22h45 tlj, horaires réduits oct-avr ; M Harrah's/ Imperial Palace

Avec ses ponts, ses canaux et ses piazzas animées, le Grand Canal Shoppes (p. 93) entend restituer le charme romantique de Venise, notamment grâce à ses gondoles. La promenade est courte (moins de 15 min), mais agréable. Réservation le jour même et en personne uniquement.

CHAPELLES DE MARIAGE

Avant de vous dire oui pour la vie, il vous faudra au préalable obtenir un certificat de mariage (voir p. 166).

A SPECIAL MEMORY WEDDING CHAPEL

☎ 384-2211, 800-962-7798 ; www.aspecialmemory.com ; 800 S 4th St ; 8h-22h dim-jeu, 8h-24h ven et sam ; Deuce

Cette chapelle "drive-in" sur Lovers Lane propose une formule mariage avec limousine à partir de 199 $ (plus le pourboire du pasteur). Le gâteau, les photos, la vidéo et la participation de sosies d'Elvis ou de Cher sont en sus.

GRACELAND WEDDING CHAPEL

☎ 382-0091, 800-824-5732 ; www.gracelandchapel.com ; 619 Las Vegas Blvd S ; 9h-23h ; Ace Gold

Cette chapelle assure depuis plus d'un demi-siècle la formule classique d'un mariage en présence d'un des sosies du King (à partir de 199 $). Si les rock stars choisissent cette chapelle, pourquoi pas vous ?

LITTLE CHURCH OF THE WEST

☎ 739-7971, 800-821-2452 ; www.littlechurchlv.com ; 4617 Las Vegas Blvd S ; 8h-24h ; Deuce

Premiers prix autour de 199 $ dans cette mignonne chapelle en bois édifiée en 1942 à l'ombre du Strip Sud, que l'on aperçoit dans le film *Viva Las Vegas* avec Elvis Presley. Service francophone sur réservation.

MAVERICK HELICOPTERS

☎ 261-0007, 888-261-4414 ; www.maverickhelicopter.com ; sur réservation

Pourquoi ne pas jouer la carte de l'inoubliable avec survol en hélicoptère (à partir de 3 529 $) du Grand Canyon (p. 156) ou de la Valley of Fire (p. 158) ? Le forfait inclut un enregistrement vidéo, les fleurs des mariés, un toast au champagne et une pièce montée. Vol gratuit pour trois invités.

VEGAS WEDDING CHAPEL

933-3464, 800-823-4095 ; www.702wedding.com ; 555 S 3rd St ; 9h-24h ; 105, Ace Gold

Vous pourrez simplement vous présenter au "guichet de mariage" pour échanger vos vœux ou profiter de la vaste chapelle, de la terrasse et des jardins. La cérémonie peut aussi avoir lieu dans un site naturel exceptionnel (dans le désert, les montagnes ou au Grand Canyon).

VIVA LAS VEGAS WEDDINGS

384-0771, 800-574-4450 ; www.vivalasvegasweddings.com ; 1205 Las Vegas Blvd S ; bureau 9h-17h, réservation 11h-21h ; Deuce

Ces cérémonies très kitsch (avec vampires, acrobates ou motos Harley) peuvent être retransmises sur Internet. Des formules plus traditionnelles existent à partir de 199 $.

WEE KIRK O' THE HEATHER

382-9830, 800-843-5266 ; www.weekirk.com ; 231 Las Vegas Blvd S ; 10h-20h ; Deuce

Jouxtant le County Marriage Bureau, cette chapelle accueille depuis 1940 des couples décidés à se jurer fidélité. Vous pouvez réserver l'une des diverses formules de mariage sur Internet à partir de 90 $.

TIFFANY&CO.
AERO
NY

SHOPPING

Las Vegas est devenue une destination de shopping haut de gamme. Les luxueuses enseignes du Strip s'adressent à une clientèle fortunée venue s'offrir les dernières nouveautés haute couture, quelques diamants ou bien une voiture de sport rutilante. Mais Sin City est aussi la ville où l'on s'arrache les perruques d'Elvis, des tenues affriolantes et des articles kitsch introuvables ailleurs.

Si vous recherchez un T-shirt, un autocollant ou un verre à liqueur à l'effigie de Vegas, vous aurez l'embarras du choix. Toutefois, les boutiques spécialisées de la ville recèlent aussi quantité d'objets de collection amusants : vieux objets provenant des casinos, boas colorés ou authentiques tables de poker.

Les commerces sont généralement ouverts de 10h à 21h (18h le dimanche), mais les boutiques des casinos, les galeries marchandes et les centres commerciaux ne ferment que vers 23h (minuit les vendredi et samedi). Noël est l'un des rares jours fériés où presque tous les établissements sont fermés.

OÙ FAIRE SES ACHATS

La ville compte d'immenses centres commerciaux, la plupart sur le Strip. On trouve des magasins sélects au sein même des casinos, de l'Encore, au sud, à Mandalay Place. Downtown et l'ouest du Strip regorgent de perruques, d'accessoires coquins et de lingerie sexy. Les boutiques de vêtements rétro, d'objets anciens et les galeries d'art contribuent à la renaissance du 18b Arts District, qui part de l'intersection entre Main St et Charleston Blvd. À l'est du Strip, Maryland Parkway est rempli d'établissements branchés très abordables. Des boutiques indépendantes apparaissent petit à petit en banlieue, où sont aussi installés les magasins d'usine.

En haut à gauche L'impressionnante galerie Crystals du CityCenter (p. 92) **En bas à gauche** Plumes et paillettes au Rainbow Feather Dyeing Co (p. 99)

VÊTEMENTS ET BIJOUX

THE ATTIC

388-4088 ; http://atticvintage.com ; 1018 S Main St ; 10h-18h mar-sam ; Ace Gold

Dans ce merveilleux temple du vintage, reconnaissable à sa vitrine rose, vous trouverez à profusion chapeaux, perruques et tenues hippie-chic pour vous lancer sur les pistes des clubs. Bijoux étincelants, chaussures délirantes et accoutrements glam-rock sont au rendez-vous. Cependant, attendez-vous à des prix exorbitants, un personnel prétentieux et une clientèle plutôt fantasque.

BUFFALO EXCHANGE

791-3960 ; www.buffaloexchange.com ; 4110 S Maryland Parkway ; 10h-20h lun-sam, 11h-19h dim ; 109, 202

Cette enseigne d'une chaîne de vêtements d'occasion propose des articles d'excellente qualité datant des années 1940 aux années 1980 : tenues de soirée, déguisements et modèles de créateurs.

Ambiance vintage chez The Attic

FRED LEIGHTON

☎ 693-7050 ; www.fredleighton.com ; Via Bellagio, 3600 Las Vegas Blvd S ; 10h-24h ; M Bally's/Paris

Nombre des bijoux arborés sur les tapis rouges hollywoodiens sont prêtés par la maison, qui possède une prestigieuse collection de modèles anciens, notamment de style Arts déco et Art nouveau. À l'inverse du magasin new-yorkais, il autorise les visiteurs à essayer ses superbes parures. Certaines pièces parmi les plus rares atteignent le million de dollars.

FRUITION

☎ 796-4139 ; http://fruitionlv.com ; 4139 S Maryland Parkway ; 11h-19h lun-sam ; 109, 202

Le Fruition semble bien être l'endroit parfait pour dénicher un souvenir de la mode pop des années 1980 et 1990 ou encore une pièce rare de stylistes comme Fendi ou Ralph Lauren. Attention, les prix peuvent faire frémir.

SHEPLERS

☎ 454-5266 ; www.sheplers.com ; Sam's Town, 5111 Boulder Hwy ; 10h-22h ; 107, 202

Fondée en 1899, cette enseigne bien connue est spécialisée dans la mode western : jeans, chemises à carreaux, vestes en cuir, chapeaux de feutre et même bottes en peau d'autruche.

SUITE 160

☎ 304-2513 ; www.suite160.com ; Mandalay Place, 3930 Las Vegas Blvd S ; 10h-23h dim-jeu, 10h-24h ven-sam ; Deuce

Une boutique de baskets peu connue qui propose des modèles très tendance. Repérez les nouveautés et les séries limitées (Anniversary d'Air Jordans, Gazelles en chanvre d'Adidas) sur le site Internet et précipitez-vous.

VALENTINO'S ZOOTSUIT CONNECTION

☎ 383-9555 ; www.valentinoszootsuitconnection.com ; 107 E Charleston Blvd ; 11h-17h lun-sam ; Ace Gold

Certaines des tenues intemporelles qui font le succès de Vegas finissent dans cette boutique sélect, spécialisée dans la mode du début du XXe siècle jusqu'aux années 1970. Un couple charmant vous aidera à trouver un costume zazou, une robe de cocktail, un fourreau très hollywoodien ou un accoutrement de cow-boy.

WILLIAMS COSTUME CO

☎ 384-1384 ; 1226 S 3rd St ; 10h-17h15 lun-sam ; Ace Gold

L'enseigne qui fournit les starlettes du Strip en accessoires glamour (strass, paillettes et plumes…) depuis 1957. Également des costumes à louer.

MUSIQUE ET LIVRES

Reportez-vous à la p. 183 pour une liste d'excellents ouvrages sur Las Vegas.

ASSOULINE

795-0166 ; www.assouline.com ; Crystals, 3720 Las Vegas Blvd S ; 10h-24h ; Deuce

Cette librairie déborde d'ouvrages consacrés à l'art, l'architecture, la photo et la mode, souvent dans de belles éditions illustrées. Elle est aussi spécialisée dans les livres anciens (la plupart en excellent état), par exemple sur l'histoire des jeux et des anecdotes historiques sur Las Vegas. Les emballages cadeaux confirment que l'on considère ici les livres comme de vraies œuvres d'art.

BAUMAN RARE BOOKS

948-1617 ; www.baumanrarebooks.com ; Shoppes at the Palazzo, 3327 Las Vegas Blvd S ; 10h-23h ; M Harrah's/Imperial Palace

Niché au sein du Palazzo, voici le paradis des bibliophiles, où trônent notamment les premières éditions et des tirages limités du *Magicien d'Oz* et de *De sang froid* (*In Cold Blood*) de Truman Capote. Des livres anciens richement illustrés sont présentées dans des vitrines. Sachez qu'il est interdit de feuilleter les ouvrages.

GAMBLERS BOOK SHOP

382-7555, 800-522-1777 ; www.gamblersbook.com ; 5473 S Eastern Ave ; 9h-17h lun-ven ; 110

Cette boutique originale renferme une somme extraordinaire de livres consacrés aux stratégies de jeux et à Vegas, dont certains titres épuisés. Vous y serez parfaitement conseillé.

ZIA RECORDS

735-4942 ; www.ziarecords.com ; 4225 S Eastern Ave ; 10h-24h ; 110, 202

Se désignant comme "le dernier magasin de disques", Zia Records, basé en Arizona, possède une enseigne bien approvisionnée à Sin City. Les groupes locaux, ou qui jouent en ville, bénéficient d'un rayon entier. Sa scène accueille des concerts live, alors qu'un panneau déconseille le *slam dancing*.

ARTICLES COQUINS

De nombreux clubs de strip-tease (p. 150) possèdent leur propre magasin de lingerie.

ADULT SUPERSTORE

798-0144 ; www.adultss.net ; 3850 W Tropicana Ave ; 24h/24 ; 201

Ce vaste entrepôt recèle quantité d'objets érotiques : accessoires et gadgets en tous genres, livres, magazines et vidéo. La galerie XXX se trouve à l'étage.

BARE ESSENTIALS

247-4711 ; www.bareessentialsvegas.com ; 4029 W Sahara Ave ; 10h-19h lun-sam, 12h-17h dim ; 204

Les pros de la ville ne jurent que par cette marque qui propose des tenues de style pom-pom girl ou encore jeune écolière. Juste à côté, la **Bad Attitude Boutique** (646-9669 ; www.badattitude.com ; 11h-19h lun-ven, 12h-19h sam, 12h-17h dim) fabrique corsets et bustiers sur mesure, ainsi que des articles fétichistes, gothiques et burlesques. Son voisin, **Red Shoes** (889-4442 ; 10h30-20h lun-sam, 12h-18h30 dim), est spécialisé dans les bottes montantes, les talons aiguilles et les chaussures délirantes à semelles compensées.

DÉJÀ VU LOVE BOUTIQUE

731-5655 ; 3247 Industrial Rd ; 24h/24 ; 213

Dans ce sex-shop ouvert 24h/24, aux couleurs acidulées et jouxtant un club de strip-tease, on trouve notamment des lubrifiants au fruit de la passion, des tapettes pour fessée et des DVD érotiques. Le Déjà Vu accueille également les enterrements de vie de garçon et de jeune fille.

KIKI DE MONTPARNASSE

736-7883 ; www.kikidm.com ; Crystals, 3720 Las Vegas Blvd S ; 10h-24h ; Deuce

NULLE PART AILLEURS

> Annie Creamcheese (Shoppes at the Palazzo ; p. 94)
> Bettie Page (Miracle Mile Shops ; p. 94)
> Fruition (p. 89)
> Kiki de Montparnasse (Crystals ; ci-dessous)
> Stash (Miracle Mile Shops ; p. 94)

Laissez-vous guider par un conseiller dans cette boutique de style bonbonnière huppée, du nom du célèbre quartier parisien, où vous pourrez choisir entre lingerie sexy, talons vertigineux et divers "instruments de plaisir". Le salon d'essayage réservé aux couples est équipé d'un studio photo.

PARADISE ELECTRO STIMULATIONS

474-2991, 800-339-6953 ; www.peselectro.com ; 1509 W Oakey Blvd ; 10h-18h lun-ven, 12h-18h sam ; 409

Ouvert depuis 1986, cet incroyable magasin fétichiste éclairé de néons flamboyants est situé un peu à l'écart, dans un quartier moins intéressant de la ville. C'est ici que vous trouverez la chaise auto-érotique inventée par Dante Amore, propriétaire des lieux – à voir (et à essayer) pour y croire !

STRINGS BOUTIQUE

873-7820 ; 4970 Arville St ; www.stringsvegas.com ; 12h-19h30 lun-sam ; 104, 201

Ne soyez pas surpris d'apercevoir une limousine stationnée devant ce vaste magasin ressemblant à un entrepôt, spécialiste de la mode X et fétichiste. Les strip-teaseuses viennent s'y approvisionner (jupes ultra-courtes et strings riquiqui). Créations sur mesure.

CENTRES COMMERCIAUX ET GALERIES MARCHANDES

CRYSTALS

590-9299 ; www.crystalsatcitycenter.com ; CityCenter, 3720 Las Vegas Blvd S ; 10h-24h ; Deuce

La superbe façade de verre et de métal de ce centre commercial évoque l'architecture de Frank Gehry. À l'intérieur : marques de créateurs (Louis Vuitton, Versace, Nanette Lepore ou Carolina Herrera) et bijoux distingués, mais aussi la librairie Assouline (p. 90) et la boutique Kiki de Montparnasse (p. 91).

THE DISTRICT

564-8595, 877-564-8595 ; www.thedistrictatgvr.com ; Green Valley Ranch, 2240 Village Walk Dr, Henderson, par la I-215 sortie Green Valley Parkway ; 10h-21h lun-sam, 11h-19h Sun ; 111

Dans cette galerie marchande huppée, à l'écart du Strip, se concentrent des enseignes de grandes chaînes, des boutiques spécialisées ainsi que des restaurants. On y trouve REI, un magasin d'articles de sports de plein air, Oya Eco Couture et sa mode écolo, le supermarché Whole Foods, sans oublier la Settebello Pizzeria Napoletana.

FASHION SHOW

784-7000 ; www.thefashionshow.com ; 3200 Las Vegas Blvd S ; 10h-21h lun-sam, 11h-19h Sun ; Ace Gold

Le plus vaste et le plus clinquant des centres commerciaux du Nevada abrite 250 commerces, d'immenses grands magasins et des restaurants prisés (p. 106). Il est surmonté d'une verrière incrustée d'écrans et appelée The Cloud ("le Nuage").

FORUM SHOPS

893-6189 ; www.simon.com ; Caesars Palace, 3500 Las Vegas Blvd S ; 10h-23h dim-jeu, 10h-24h ven-sam ; M Flamingo/Caesars Palace

Cette galerie (*Arcade*) évoquant un forum de la Rome antique compte 160 boutiques de créateurs (dont Armani et Versace), des magasins de mode (Intermix) et de lingerie (Agent Provocateur), des marques de cosmétiques (Kiehl's, MAC) et le restaurant du chocolatier Max Brenner.

GRAND CANAL SHOPPES

☎ 414-4500 ; www.thegrandcanalshoppes.com ; Venetian, 3377 Las Vegas Blvd S ; 10h-23h dim-jeu, 10h-24h ven-sam ; M Harrah's/Imperial Palace

Venez voir les musiciens, les jongleurs et les statues vivantes qui se produisent sur la St Mark's Square de ce centre commercial d'inspiration italienne. Le long des passages pavés se succèdent 80 magasins de luxe, dont Bebe, Godiva, Kenneth Cole, Movado et Sephora. Ouverture dès 7h et possibilité de se déplacer en gondole (p. 84).

HARD ROCK

☎ 693-5000 ; www.hardrockhotel.com ; Hard Rock, 4455 Paradise Rd ; généralement 10h-23h dim-jeu, 10h-24h ven-sam ; 108

Le Hard Rock Store et les boutiques John Varvatos et Affliction sont parfaits pour dénicher un article rock-n-roll ou découvrir les marques des pop stars. Si vous avez remporté le jack-pot, foncez chez Rocks, une bijouterie ouverte 24h/24. Love Jones propose lingerie affriolante et sex-toys.

MANDALAY PLACE

☎ 632-7777 ; www.mandalaybay.com ; entre le Mandalay Bay et le Luxor, 3930 Las Vegas Blvd S ; 10h-23h dim-jeu, 10h-24h ven-sam ; Deuce

Agrémentée de plafonds à voûte, cette galerie marchande à l'atmosphère décontractée comprend plus d'une vingtaine de boutiques inimitables, dont Suite 160 (p. 89), Metropark et Urban Outfitters appréciés des adolescents, l'institut de beauté Lush (p. 97), la boutique Art of Shaving (tout pour le rasage) et le salon ARCS, ainsi que le premier magasin Nike spécialisé dans le golf.

L'immense Fashion Show et ses innombrables boutiques

MIRACLE MILE SHOPS

☎ 866-0703 ; www.miraclemileshopslv.com ; Planet Hollywood, 3663 Las Vegas Blvd S ; 10h-23h dim-jeu, 10h-24h ven-sam ; M Bally's/Paris

Un centre commercial chic s'étirant sur 2,5 km de long avec 15 restaurants et 170 magasins, essentiellement des enseignes de grandes chaînes (mode urbaine). À noter : Bettie Page et ses vêtements rétro, très pin-up, les boutiques H&M et Ben Sherman, le roi du denim True Religion, et Stash, boutique des rocks stars à Vegas.

SHOPPES AT THE PALAZZO

☎ 414-4525 ; www.theshoppesatthepalazzo.com ; Palazzo, 3327 Las Vegas Blvd S ; 10h-23h dim-jeu, 10h-24h ven-sam ; M Harrah's/Imperial Palace

Ce temple du luxe abrite sur trois étages le grand magasin Barneys de New York, ainsi qu'une succession de grands noms de la mode : Diane von Furstenberg, Cole Haan, les créateurs londoniens Chloé et Thomas Pink, Canali et ses costumes italiens taillés sur mesure, la mode glamour fleurant bone le XXe siècle d'Annie Creamcheese, Anya Hindmarch et ses sacs et accessoires, ou encore le talentueux chausseur Jimmy Choo.

TOWN SQUARE

☎ 269-5000 ; www.townsquarelasvegas.com ; 6605 Las Vegas Blvd S ; 10h-21h30 lun-jeu, 10h-22h ven-sam, 11h-20h Sun ; Ace Gold

Non loin de l'aéroport international McCarran, cette galerie marchande en extérieur compte des chaînes de renom comme Juicy Couture, Sephora, Apple, Abercrombie & Fitch et Metropark. Des palmiers agrémentent ses rues piétonnes. Les bars avec happy hour et le cinéma attirent les foules.

VIA BELLAGIO

☎ 693-7111 ; www.bellagio.com ; Bellagio, 3600 Las Vegas Blvd S ; 10h-24h ; M Bally's/Paris

Le centre commercial du Bellagio est le paradis des amateurs de luxe : Prada, Armani, Gucci, Bottega Veneta, Chanel, Dior, Tiffany & Co et Fred Leighton (p. 89).

WYNN ESPLANADE

☎ 770-7000 ; www.wynnlasvegas.com ; Wynn, 3131 Las Vegas Blvd S ; 10h-23h dim-jeu, 10h-24h ven-sam ; Ace Gold

Dans ce temple du luxe de 23 000 m^2 sont présents Alexander McQueen, Cartier, Chanel, Dior, Louis Vuitton, Manolo Blahnik et Oscar de la Renta. Également un concessionnaire Penske Wynn Ferrari/Maserati.

MAGASINS SPÉCIALISÉS

Les passionnés d'high-tech pourront se précipiter à l'**Apple Store** (☎ 650-9550 ; www.apple.com ; 10h-21h lun-sam, 11h-19h dim) au Fashion Show (p. 92) et chez **Sony Style** (☎ 697-5420 ; www.sonystyle.com ; 10h-23h dim-jeu, 10h-24h ven-sam) dans les Forum Shops (p. 92).

AUTO COLLECTIONS

☎ 794-3174 ; www.autocollections.com ; 5e étage, Imperial Palace, 3535 Las Vegas Blvd S ; tarif plein/réduit 9/5 $, coupon gratuit sur le site Internet ; 10h-18h ; M Harrah's/ Imperial Palace

Les amateurs d'automobile peuvent passer des heures ici à admirer cette remarquable collection privée de voitures, parmi lesquelles un nombre impressionnant de Bentley et de Duesenberg, plusieurs types de voitures anciennes, des voitures de sport, des Indy 500 et des modèles importés. Certains véhicules sont à vendre.

BASS PRO SHOPS OUTDOOR WORLD

☎ 730-5200 ; www.basspro.com ; 8200 Dean Martin Dr ; 9h-21h lun-sam, 10h-18h dim ; 217

Situé à côté du casino Silverton, ce vaste paradis des amateurs de chasse et de pêche possède un mur d'escalade, un stand de tir à l'arc, un aquarium de 176 000 litres et un plan d'eau rempli d'espèces endémiques du Nevada.

SPÉCIAL VOYAGEURS À PETIT BUDGET

Si vous aimez les marques mais que votre budget shopping est serré, faites des affaires dans ces magasins d'usine très fréquentés :

Fashion Outlets Las Vegas (☎ 874-1400, 888-424-6898 ; www.fashionoutletlasvegas.com ; 32100 Las Vegas Blvd S, par la I-15 sortie 1, Primm ; 10h-20h). À la frontière entre le Nevada et la Californie, à 40 min de route vers le sud-ouest de Las Vegas, vous trouverez plus d'une centaine de marques sophistiquées (Burberry, Coach, Juicy, Michael Kors, Neiman Marcus Last Call) ou plus classiques (Banana Republic, J Crew, Levi's). Le magasin est desservi par une navette (aller retour 15 $) au départ du Strip. À ne pas manquer si vous passez non loin en voiture.

Las Vegas Premium Outlets (☎ 474-7500 ; www.premiumoutlets.com ; 875 S Grand Central Parkway ; 10h-21h lun-sam, 10h-20h Sun ; Ace Gold). Le plus luxueux des magasins d'usine de Vegas avec des enseignes comme Armani Exchange, Calvin Klein, DKNY, Dolce & Gabbana et Kenneth Cole, ainsi que quelques marques plus décontractées, dont True Religion. Les bus Ace Gold de la compagnie RTC et les bus C-Line desservent régulièrement le centre commercial entre 7h et 22h.

CASA FUENTE

☎ 731-5051 ; Forum Shops du Caesars Palace, 3500 Las Vegas Blvd S ; 10h-23h dim-jeu, 10h-24h ven-sam ; Ⓜ Flamingo/Caesars Palace

Magasin de cigares doublé d'un petit bar à cocktails d'inspiration cubaine. Les cigares viennent d'Amérique latine et des Caraïbes, jamais de Cuba du fait de la réglementation américaine.

DESERT ROCK SPORTS

☎ 254-1143 ; www.desertrocksportslv.com ; 8221 W Charleston Blvd, ouest de S Buffalo Dr ; 9h-19h lun-sam, 10h-18h dim oct-mars, téléphonez pour les horaires avr-sept ; 206

Tenue par des alpinistes, cette boutique d'articles de sports de plein air vend des vêtements toutes saisons et du matériel de randonnée, d'escalade et de camping. Location de matelas de chute (escalade). Juste à côté, le **Red Rock Climbing Center** (☎ 254-5604 ; www.redrockclimbingcenter.com ; 8201 W Charleston Blvd) est une salle où les amateurs peuvent pratiquer l'escalade.

Dénichez des trésors au Gypsy Caravan Antique Village

DOUBLE HELIX

735-9463 ; www.doublehelixwine.com ; Palazzo, 3327 Las Vegas Blvd S ; 10h-23h dim-jeu, 10h-24h ven-sam ; M Harrah's/Imperial Palace

Vous serez conseillé par un personnel compétent chez ce caviste, qui possède aussi un salon VIP et un comptoir où déguster des crus exceptionnels.

FERRARI STORE

770-2000 ; www.penskewynnferrari.com ; Wynn Esplanade, 3131 Las Vegas Blvd S ; entrée show-room 10 $; 9h-20h ; Ace Gold

À défaut de vous offrir un somptueux coupé, vous pourrez acquérir un porte-clé, un parfum pour homme ou une veste en cuir au magasin Ferrari situé juste à côté du concessionnaire.

FIELD OF DREAMS

792-8233 ; www.fieldofdreams.com ; Forum Shops au Caesars Palace, 3500 Las Vegas Blvd S ; 10h-23h dim-jeu, 10h-24h ven-sam ; M Flamingo/Caesars Palace

Le grand spécialiste de collectors ayant appartenu à des sportifs ou à des vedettes. Parmi les pièces qui furent vendues ici, une balle de baseball dédicacée et comportant les excuses de l'ancien joueur Pete Rose, désormais banni du milieu ; il fait parfois une apparition sur place. Mérite le coup d'œil.

GYPSY CARAVAN ANTIQUE VILLAGE

868-3302 ; 1302 S 3rd St ; 10h-17h mar-sam ; Ace Gold

Cet ensemble de boutiques entre chic et bohème regorge de trouvailles amusantes à petits prix.

HOUDINI'S MAGIC SHOP

798-4789 ; www.houdini.com ; Forum Shops au Caesars Palace, 3500 Las Vegas Blvd S ; 10h-23h dim-jeu, 10h-24h ven-sam ; M Flamingo/Caesars Palace

La mémoire du magicien Houdini, grand spécialiste de l'évasion, survit dans cette boutique remplie de farces et de tours de magie. Chaque achat donne droit à une leçon privée en coulisses. Des magiciens en smoking effectuent des tours gratuitement. Ne manquez pas le petit musée exposant des objets ayant appartenu au maître, comme ses menottes.

LUSH

227-5874 ; www.lush.com ; Mandalay Place, 3930 Las Vegas Blvd S ; 10h-23h dim-jeu, 10h-24h ven-sam ; Deuce

Glissez dans votre bain des pains moussants aux huiles essentielles, des sels au beurre de cacao ou des bulles effervescentes. Lush propose aussi baumes, démaquillants et barres de massage faits main. Le rêve des adeptes de produits de beauté naturels, souvent bio.

RETRO VEGAS

384-2700 ; www.retro-vegas.com ; 1211 S Main St ; 11h-18h lun-sam ; 409

Dans le 18b Arts District (p. 14), ce magasin d'antiquités est l'endroit parfait pour dénicher des objets Arts déco ou datant des années 1950, 1960 ou 1970, des bijoux aux articles de décoration. Idéal si vous recherchez un souvenir (cendrier, par exemple) évoquant le Vegas d'antan.

VIVA ELVIS OFFICIAL STORE

590-7111 ; www.arialasvegas.com ; Aria, 3730 Las Vegas Blvd S ; 10h-24h ven-mar, 10h-20h mer et jeu ; M Flamingo/Caesars Palace

Installé à côté de la salle de spectacle *Viva Elvis* (voir p. 147), ce sanctuaire dédié au King vend des articles introuvables ailleurs, pas même à Graceland, comme un distributeur de bonbons Elvis ou une bague TCB (du nom du groupe du chanteur) incrustée de diamants.

DÉLICIEUSEMENT KITSCH

Découvrez des objets, des livres et des films évoquant la course aux armes nucléaires à l'Atomic Testing Museum (p. 74). Admirez les candélabres et les photos grandeur nature du légendaire pianiste au Liberace Museum (p. 78).

BONANZA GIFTS

385-7359 ; www.worldslargestgiftshop.com ; 2440 Las Vegas Blvd S ; 8h-24h ; M Sahara

La meilleure adresse pour des souvenirs décalés que vous ne trouverez qu'à Vegas : T-shirts, verres à liqueur, boules à neige, gags XXX. Tarifs plus élevés que sur Fremont St, dans Downtown.

GAMBLERS GENERAL STORE

382-9903, 800-322-2447 ; www.gamblersgeneralstore.com ; 800 S Main St ; 9h-18h ; 409

Le spécialiste du jeu. Vous y trouverez absolument tout, des jetons personnalisés aux jeux de roulette et aux tables de poker identiques à celles des casinos, en passant par un énorme stock de machines à sous. Parfait pour un petit souvenir bon marché, tel un jeu de cartes d'occasion provenant d'un casino de la ville.

GOLD & SILVER PAWN

385-7912 ; http://gspawn.com ; 713 Las Vegas Blvd S ; 24h/24 ; Deuce

Comme dans la série américaine de téléréalité *Pawn Stars* (voir p. 75), la modeste devanture de ce prêteur sur gages dissimule des trésors : pistolets du Far West, voitures des années 1950, souvenirs rétro de casinos et autographes de stars.

EN EXCLUSIVITÉ À VEGAS

> Gamblers Book Shop (p. 90)
> Gamblers General Store (ci-contre)
> Gold & Silver Pawn (ci-contre)
> Rainbow Feather Dyeing Co (à droite)
> Viva Elvis Official Store (ci-contre)

GUN STORE

☎ 454-1110 ; www.thegunstorelasvegas.com ; 2900 E Tropicana Ave ; 9h-18h30 ; 201

Si vous avez toujours voulu avoir entre les mains un Beretta, un Colt ou un Glock, arrêtez-vous dans ce magasin équipé d'un stand de tir avec vidéo. Le mardi est réservé aux dames.

RAINBOW FEATHER DYEING CO

☎ 598-0988 ; www.rainbowfeatherco.com ; 1036 S Main St ; 9h-16h lun-ven, 9h-13h sam ; 409

Un immense choix de boas, d'éventails et de plumes (de toute la basse-cour), dans toutes les teintes possibles et imaginables.

SERGE'S SHOWGIRL WIGS

☎ 732-1015, 800-947-9447 ; www.showgirlwigs.com ; Commercial Center, 953 E Sahara Ave ; 10h-17h30 lun-sam ; 204

Les sympathiques stylistes de cette boutique aident les girls et les drag queens de Vegas, mais aussi madame Tout-le-Monde, à choisir la perruque la plus glamour. Dans un centre commercial peu attrayant à l'est de l'hôtel-casino Sahara.

stripburger
BURGERS, SHAKES & CAKES
DELICATESSEN

SE RESTAURER

En plein essor, la scène culinaire de la "Ville du péché" compte un nombre impressionnant de chefs talentueux. L'arrivée récente sur le Strip de nombreux maîtres français, dont Guy Savoy, Joël Robuchon et Pierre Gagnaire, confirme la tendance de Vegas à proposer des aventures épicuriennes de plus en plus élaborées.

Depuis 1992, et l'ouverture par Wolfgang Puck de son restaurant Spago dans l'enceinte du Caesars Palace, tous les hôtels-casinos ont été investis par des chefs réputés. Au nombre de ces as des fourneaux, citons Emeril Legasse, Mario Batali, Michael Mina, Bobby Flay, Rick Moonen et Susan Feniger. Il reste néanmoins possible de se contenter de buffets et formules à petits prix, surtout dans Downtown et dans les établissements moins sélects du Strip.

Tous les grands casinos disposent d'un café ouvert 24h/24 qui sert généralement des formules spéciales après minuit. Les brunchs au champagne, proposés le week-end sous forme de buffet (10h30 à 15h30), sont très à la mode. Le déjeuner est servi de 11h30 à 14h30, le dîner de 17h à 22h du dimanche au jeudi, et jusqu'à 23h les vendredi et samedi.

Presque tous les restaurants du Strip préparent des entrées et accompagnements végétariens qui peuvent constituer un repas complet. Les enseignes offrant des plats végétariens sont signalées par le symbole V.

Il est impératif de réserver relativement à l'avance dans les restaurants huppés, a fortiori pour découvrir une table très cotée le week-end. Dans la plupart des établissements réputés, la veste est de rigueur pour les hommes. **OpenTable** (www.opentable.com) est un service de réservation en ligne gratuit. Vous pourrez généralement vous installer au bar sans avoir à patienter.

Il est d'usage de laisser 15-20% de la note (hors taxes) en pourboire. Pour les groupes d'au moins 6 personnes, le service est souvent inclus (15-18%).

En haut à gauche Hamburgers de fraîcheur inégalable au Stripburger (p. 106) **En bas à gauche** On ne plaisante pas avec les copieux sandwichs de Canter's Deli (p. 115)

LE STRIP

Pour plus d'informations sur les meilleurs formules de buffets de Vegas, voir p. 169.

BELLAGIO

Les grandes tables du Bellagio montrent des signes de fatigue. Réservez sur www.bellagio.com ou au ☎ 866-259-7111. Certains restaurants huppés n'acceptent pas les jeunes enfants.

THE BUFFET

Buffet $$

☎ 693-7111 ; Bellagio, 3600 Las Vegas Blvd S ; 🕒 7h-22h, brunch au champagne 7h-16h sam-dim ; Ⓜ Bally's/Paris ; Ⓥ

Le somptueux buffet du Bellagio figure parmi les plus animés de la ville : produits de la mer et recettes du monde entier. Encore plus avantageux le midi.

FIX

Américain moderne $$

☎ 693-8300 ; www.lightgroup.com ; Bellagio, 3600 Las Vegas Blvd S ; 🕒 17h-24h dim-jeu, 17h-2h ven-sam ; Ⓜ Bally's/Paris

Parfait pour une pause avant la tournée des clubs ou pour guetter les célébrités de passage. Cette enseigne branchée, très prometteuse, propose des recettes simples revisitées : *tacos* au homard, mini-hamburgers et frites aux épices, et *shake & cake* au chocolat. Réservation recommandée, tout comme pour son petit frère, le restaurant japonais et bar à sushis Yellowtail.

GUIDE DES PRIX

Les symboles ci-dessous correspondent au prix d'un plat principal le soir, hors taxes, sans boissons ni pourboire.

$	moins de 15 $
$$	15-50 $
$$$	plus de 50 $

JEAN-PHILIPPE PÂTISSERIE

Français $

☎ 693-7111 ; Spa Tower, Bellagio, 3600 Las Vegas Blvd S ; 5-10 $/pièce ; 🕒 7h-23h lun-jeu, 7h-24h ven-dim ; Ⓜ Bally's/Paris

Les fontaines en chocolat de ce chef pâtissier de renom mettent l'eau à la bouche. On y vient surtout pour les merveilleuses glaces et les gâteaux, mais les créations sans sucre sont également très satisfaisantes.

OLIVES

Méditerranéen $$

☎ 693-8181 ; www.toddenglish.com ; Via Bellagio, Bellagio, 3600 Las Vegas Blvd S ; 🕒 11h-14h45 et 17h-22h30 ; Ⓜ Bally's/Paris ; Ⓥ

Todd English, chef américain de la Côte Est, rend hommage

à l'ingrédient principal de la cuisine méditerranéenne à travers de succulentes pizzas, pâtes et diverses viandes grillées. Cuisine ouverte et patio. Desserts succulents et belle cave à vin. La réservation est impérative.

CAESARS PALACE ET FORUM SHOPS

Réservez votre table sur www.caesarspalace.com ou au ☎ 731-7731 ou au ☎ 877-346-4642. Le Spago de Wolfgang Puck ($$) se trouve dans l'enceinte des Forum Shops (p. 92).

BRADLEY OGDEN

Américain moderne $$$

☎ 731-7413 ; www.larkcreek.com ; en face du Colosseum, Caesars Palace, 3570 Las Vegas Blvd S ; 17h-23h mer-dim ; M Flamingo/Caesars Palace

À partir de produits très frais, ce restaurant réinterprète les grands classiques de la cuisine américaine : soufflé au bleu, filet de bison et crabe à la mousse de coco. La réservation est conseillée.

CYPRESS STREET MARKETPLACE

Fast-food $

☎ 731-7110 ; face au Colosseum, Caesars Palace, 3570 Las Vegas Blvd S ; 11h-23h ; M Flamingo/Caesars Palace ; V

Pizzas et salades préparées à la demande, *wraps*, plats sautés asiatiques, barbecue mais aussi bière, vin et boissons naturelles. Enregistrez votre sélection sur une carte à puce et réglez à la sortie. Certaines tables surplombent le casino.

MESA GRILL

Sud-Ouest américain $$

☎ 731-7731 ; www.mesagrill.com/lasvegas ; en face du Colosseum, Caesars Palace, 3570 Las Vegas Blvd S ; 11h-14h30 lun-ven, 10h30-15h sam-dim, 17h-23h tlj ; M Flamingo/Caesars Palace ; V

Si Bobby Flay, grand chef new-yorkais, n'officie pas ici, il y propose tout de même ses fameuses spécialités de fusion latina : *tamales* de patates douces au beurre de pécan, pancakes au maïs ou aloyau de porc frotté aux épices.

PAYARD BISTRO

Français $$

☎ 731-7292 ; www.payard.com ; Caesars Palace, 3570 Las Vegas Blvd S ; 6h30-15h ; M Flamingo/Caesars Palace

Appartenant à la troisième génération d'une famille de chefs pâtissiers, François Payard reprend les standards des brasseries françaises dans un cadre opulent (boiseries, banquettes en cuir et lustre de cristal). Également une divine **pâtisserie** (6h30-23h) et un bar pour grignoter sur le pouce.

RESTAURANT GUY SAVOY

Français *$$$*

731-7731 ; www.guysavoy.com ; 2e étage, Augustus Tower, Caesars Palace, 3570 Las Vegas Blvd S ; 17h30-21h30 mer-dim ; M Flamingo/Caesars Palace

Ce restaurant au cadre intimiste est l'unique établissement américain du chef français récompensé de trois étoiles au guide Michelin. Les concepts culinaires sont aussi inédits que les prix ! Au Bubble Bar, vous pourrez siroter un verre de champagne avec de fins en-cas (notamment, soupe à l'artichaut et à la truffe). Pour les hommes, la veste et la cravate sont de rigueur. La réservation est impérative, mais elle est parfois difficile à obtenir même en téléphonant à l'avance.

SERENDIPITY 3

Américain *$$*

731-7110 ; www.serendipity3.com ; en face du Caesars Palace, 3570 Las Vegas Blvd S ; 11h-23h lun-jeu, 11h-24h ven, 9h-24h sam, 9h-23h dim ; M Flamingo/Caesars Palace

Régalez-vous d'un chocolat chaud glacé ou d'un généreux *sundae* dans cette buvette originale (*soda fountain*), à la décoration rose bonbon. Oubliez la carte du grill, plutôt décevante.

CITYCENTER

Les établissements au sein de l'Aria au CityCenter, de l'hôtel Mandarin Oriental et du centre commercial Crystals sont très appréciés des gastronomes.

AMERICAN FISH

Fruits de mer *$$*

590-8610 ; www.michaelmina.net ; Aria, 3730 Las Vegas Blvd S ; 17h-22h30 mer-lun ; Deuce

Le restaurant du créatif Michael Mina, à l'étage du casino Aria, ne fait pas dans l'esbroufe, tout y est simple et de bon goût. Choisissez la cuisson de votre poisson (poché, cuit au gros sel, grillé ou fumé). Les entrées (notamment, soupe de poisson), les légumes de saison et les cocktails sont tous remarquables. Il est préférable de réserver.

JEAN-GEORGES STEAKHOUSE

Steakhouse *$$$*

590-7111 ; Aria, 3730 Las Vegas Blvd S ; 17h-23h30 ; Deuce

TABLES ULTRASÉLECTS SUR LE STRIP

> Alex (p. 117)
> Joël Robuchon (p. 108)
> Restaurant Guy Savoy (à gauche)
> Tao (p. 116)
> Twist by Pierre Gagnaire (ci-contre)

Installé juste au-dessus du casino Aria dans une atmosphère délicieusement tamisée, ce fabuleux établissement d'un chef étoilé au guide Michelin associe avec brio influences orientales et occidentales. Parmi les plats proposés : beignet à la truffe, thon pané à la galette de riz et plat de côtes déglacé au soja. La réservation est indispensable.

JULIAN SERRANO

Méditerranéen $$

590-8520 ; Aria, 3730 Las Vegas Blvd S ; 11h-23h ; Deuce

Ce restaurant et bar à tapas très gai et coloré – l'établissement pourrait tout aussi bien se trouver à Ibiza –, jouxte la réception de l'Aria. Vous y dégusterez des plats et des tapas d'inspiration espagnole et française : jambons de pays, poivrons farcis au fromage de chèvre et paella aux fruits de mer. Ici aussi, il est recommandé de réserver.

SAGE

Américain moderne $$

877-230-2742 ; www.arialasvegas.com ; Aria, 3730 Las Vegas Blvd S ; 17h-23h lun-sam ; Deuce ; V

Le restaurateur Shawn McClain vous invite à savourer sa cuisine du terroir sur le Strip. Sous une superbe fresque murale, on peut ainsi savourer des classiques revisités (viande accompagnée de pommes de terre) et des mets végétariens originaux avant de siroter une absinthe. Réservation conseillée.

SOCIAL HOUSE

Asiatique $$

736-1122 ; www.socialhouselv.com ; Crystals, 3720 Las Vegas Blvd S ; 17h-22h dim-jeu, 13h-16h30 et 17h-23h ven-sam ; Deuce

Situé dans le Crystals, ce grill et bar à sushis est le plus glamour du Strip. Terrasse panoramique, tatamis et imprimés japonais contribuent à l'ambiance romantique. Il n'est pas rare d'y croiser des célébrités.

TWIST BY PIERRE GAGNAIRE

Français $$$

888-881-9367 ; Mandarin Oriental, 3752 Las Vegas Blvd S ; 18h-22h mar-sam ; Deuce

Si la vue sur le Strip illuminé ne vous fait pas chavirer, il en ira autrement de la cuisine française ultramoderne concoctée par ce chef trois étoiles. Changeant selon la saison, le menu dégustation (185 $), inclut par exemple des *gnocchetti* à l'encre de calmar arrosés de gelée de carotte, de la langoustine aux glaçons d'algue ou encore de la glace à l'asperge avec des pommes vertes acidulées. Réservation indispensable.

WOLFGANG PUCK PIZZERIA & CUCINA

Italien $$

238-1000 ; www.wolfgangpuck.com ; Crystals, 3720 Las Vegas Blvd S ; 17h-22h dim-jeu, 17h-23h ven-sam ; Deuce ; V

Cette enseigne du grand chef, qui a décidément plus d'un tour dans son chapeau, se situe à l'étage du fameux centre commercial Crystals. Si les pizzas, évidemment, ont tendance à voler la vedette, vous n'aurez aucun mal à y trouver également des plats italiens classiques tels que des gnocchis à la ricotta, des raviolis aux champignons ou encore des aubergines au parmesan. Belle cave à vin avec crus européens et américains.

FASHION SHOW

Le Gelato Cafe ($), aux couleurs de l'arc-en-ciel, prépare de vraies glaces italiennes.

STRIPBURGER

Américain $

737-8747 ; http://lasvegasstripburger.com ; en extérieur, Fashion Show, 3200 Las Vegas Blvd S ; 11h30-24h ; Ace Gold ;

Un *diner* à l'américaine rutilant, installé en plein air, où l'on se régale de burgers bio, préparés de façon traditionnelle ou végétariens, accompagnés de leurs frites *atomic* au fromage et au piment. Bières artisanales à la pression, milk-shakes veloutés et gâteau au chocolat.

Réservation impérative pour un repas gastronomique à l'Aureole

LUXOR

Pour un repas fusion pétillant dans un cadre sensuel, faites la queue au CatHouse ($$), tenu par le chef Kerry Simon.

TACOS & TEQUILA

Mexicain $

262-5225 ; www.tacosandtequilalv.com ; Luxor, 3900 Las Vegas Blvd S ; 11h-23h ; Deuce

Le concept industriel branché et le photomaton à rideau noir attirent une clientèle très rock-n-roll dans cette *taquería* au succès incroyable. Barmen et serveuses au physique séducteur vous abreuvent en tequila et sangria. Groupes de mariachis pendant le brunch du dimanche.

MANDALAY BAY & MANDALAY PLACE

Réservez votre table sur www.mandalaybay.com ou en appelant le 632-7200.

AUREOLE

Américain moderne $$$

632-7401 ; www.aureolelv.com ; Mandalay Bay, 3950 Las Vegas Blvd S ; 17h30-22h30, bar à vin 17h30-24h ; Deuce

Le cuisinier Charlie Palmer concocte des menus dégustation (à partir de 95 $) en fonction des produits saisonniers (soupe de palourdes au safran, baklava aux fruits secs et sirop d'érable). Néanmoins, le résultat laisse parfois à désirer. Contentez-vous d'un simple verre de vin (vaste choix) : un *wine angel* tout de noir vêtu ira chercher votre breuvage dans la tour des vins (plus de 12 m de haut !) en un éclair. Tenue chic exigée et réservation obligatoire.

HUSSONG'S CANTINA

Mexicain $

553-0123 ; www.hussongslasvegas.com ; Mandalay Place, 3930 Las Vegas Blvd S ; 11h-23h dim-jeu, 11h-24h ven-sam, bar 11h-2h tlj ; Deuce

Cette cantina bruyante est un clin d'œil à l'établissement du même nom situé à Ensenada, au Mexique, où aurait été inventée la célèbre margarita. Les boissons sont fabuleuses, surtout lorsqu'elles sont servies dans un verre en forme de crâne. Au menu : *tacos, nachos, burritos* et autres classiques américano-mexicains.

RM SEAFOOD

Fruits de mer $$$

632-9300 ; www.rmseafood.com ; Mandalay Place, 3930 Las Vegas Blvd S ; restaurant 17h30-22h mar-sam, café 11h30-23h tlj ; Deuce

Le chef new-yorkais Rick Moonen a ouvert deux établissements spécialisés dans les produits de la mer. Son restaurant à

LES MEILLEURS STEAKHOUSES

On ne compte plus les établissements où savourer un bon steak juteux à Vegas. Les adresses suivantes méritent une mention spéciale :

> Cut (Palazzo ; p. 111)
> Craftsteak (MGM Grand ; à droite)
> Jean-Georges Steakhouse (p. 104)
> N9NE (Palms ; p. 127)
> Vic & Anthony's (Golden Nugget ; p. 121)

l'étage privilégie la haute cuisine gastronomique, tandis que son café, agrémenté de box en acajou, dispose d'une carte plus étendue. Il abrite lui-même un bar à sushis et un Biscuit Bar spécialisé dans les salades de fruits de mer.

STRIPSTEAK

Steakhouse/fruits de mer *$$$*

☎ 632-7414 ; www.michaelmina.net ; Mandalay Bay, 3950 Las Vegas Blvd S ; 17h30-23h ; Deuce

Réputé pour ses restaurants de poisson, Michael Mina a fait une percée remarquée dans l'univers des steakhouses de Vegas. Dans un cadre minimaliste, il affiche une très belle carte à base de bœuf Angus et de Kobe accompagné de classiques revisités (frites à la graisse de canard, salade de papaye verte relevée, *onion rings* saupoudrés de tomate). Réservation recommandée.

MGM GRAND

Réservez sur www.mgmgrand.com ou en appelant le ☎ 877-793-7111. Au nombre des adresses appétissantes figurent le Fiamma Trattoria & Bar ($$), un restaurant italien branché, et la sandwicherie Wichcraft ($), un *grab-and-go* qui propose ses produits à emporter.

CRAFTSTEAK

Steakhouse/fruits de mer *$$$*

☎ 891-7318 ; www.craftrestaurant.com ; Studio Walk, MGM Grand, 3799 Las Vegas Blvd S ; 17h30-22h dim-jeu, 17h30-22h30 ven-sam ; M MGM Grand

Dans un cadre à la déco contemporaine, on choisit entre une viande de bœuf (nourri de pâturages ou de céréales), de bison, un confit de canard et plusieurs produits de la mer (huîtres de production américaine, caviar de Russie et queue de langouste d'Australie). Les prix du menu dégustation (trois plats) commencent à 110 $.

JOËL ROBUCHON

Français *$$$*

☎ 891-7925 ; www.joel-robuchon.com ; MGM Grand, 3799 Las Vegas Blvd S ; 17h30-22h dim-jeu, 17h30-22h30 ven-sam ; M MGM Grand

Surnommé le "Chef du siècle", Joël Robuchon est le plus célèbre des nombreux cuisiniers français débarqués à Vegas. Niché au sein du Mansion, le lieu évoque un hôtel particulier parisien des années 1930. Les menus dégustation sont particulièrement élaborés et varient selon la saison (de 85 à 385 $). Sur réservation uniquement (sachez qu'elles sont difficiles à obtenir). Des formules plus économiques sont servies au comptoir de l'Atelier de Joël Robuchon ($$$).

SEABLUE

Fruits de mer $$$

☎ 891-3486 ; www.michaelmina.net ; MGM Grand, 3799 Las Vegas Blvd S ; 17h30-22h dim-jeu, 17h30-22h30 ven-sam ; M MGM Grand

Dans ce restaurant nanti de deux cuisines ouvertes, très tendance, les fruits de mer se déclinent sous toutes les formes : pétoncles, crevettes et clams que vous pourrez dégustez crus, frits, à la vapeur ou rôtis. Créez votre salade à partir de la longue liste d'ingrédients tout frais. Également au menu : le *lobster corn dog*, un goûteux beignet de homard en brochette.

SHIBUYA

Japonais $$$

☎ 891-3001 ; Studio Walk, MGM Grand, 3799 Las Vegas Blvd S ; 17h-22h dim-jeu, 17h-22h30 ven-sam ; M MGM Grand

Doté d'une cave à saké et d'un bar à sushis, ce japonais propose des entrées appétissantes (limande frottée à l'ail, au jus de citron et à l'huile de truffe). Menus *teppanyaki* (aliments grillés sur une plaque chauffante) avec miso de langouste.

WOLFGANG PUCK BAR & GRILL

Italien $$

☎ 891-3000 ; www.wolfgangpuck.com ; MGM Grand, 3799 Las Vegas Blvd S ; 11h30-22h30 dim-jeu, 11h30-23h30 ven-sam ; M MGM Grand ; V

Jouxtant le casino, un bistrot ultramoderne à l'atmosphère très californienne. Chips aux truffes et au bleu, brochettes de flanchet au céleri, pizzas au feu de bois, gnocchis à la ricotta. Carte des vins tout aussi divine.

MIRAGE

Réservez sur www.mirage.com ou au ☎ 866-339-4566. Parmi les bonnes adresses, le Stack ($$), qui ressemble au Fix (p. 102), et le Carnegie Deli ($$), qui sert des plats très copieux.

BLT BURGER

Américain $

☎ 792-7888 ; www.bltburger.com ; Mirage, 3400 Las Vegas Blvd S ; 11h-2h dim-jeu, 10h-4h ven-sam ; M Harrah's/Imperial Palace

Chef français formé à New York, Laurent Tourondel prépare

d'excellents burgers (bœuf Black Angus, agneau ou version végétarienne), à accompagner de frites aux patates douces, d'une bière artisanale (vous avez le choix entre une trentaine de variétés) ou d'un milk-shake à la liqueur. Au dessert, place aux *peanut butter s'mores*, de plantureux biscuits au beurre de cacahuètes, à la guimauve et autres friandises. Jolie déco rappelant les *diners* et superbes photos murales noir et blanc du désert du Nevada.

JAPONAIS

Asiatique $$

☎ 792-7979 ; www.japonaislasvegas.com ; Mirage, 3400 Las Vegas Blvd S ; 17h-22h dim-jeu, 17h-23h ven-sam, lounge 12h-1h lun-mer, 12h-2h jeu-ven ; M Harrah's/Imperial Palace

Bar à sushi et à saké où règne une ambiance conviviale. Le cadre soigné (salle à manger de couleur rouge, très théâtrale, avec plafond de bois sculpé) et le lounge intimiste avec vue sur le casino sont plus réussis que le *crab cake* ou le bœuf de Kobé grillé.

NEW YORK-NEW YORK

Découvrez la cuisine fine irlandaise au Nine Fine Irishmen ($$). Plusieurs fast-foods sont rassemblés au niveau de la mezzanine, dont Nathan's (hot-dogs), le glacier Schrafft et Tropicana (smoothies et café).

IL FORNAIO

Italien $$

☎ 650-6500 ; www.ilfornaio.com ; New York-New York, 3790 Las Vegas Blvd S ; 19h30-10h30 et 11h30-24h ; M MGM Grand ; V

Régalez-vous de pizzas cuites au four à bois, de salades, de pâtes ou de délicieux et copieux antipasti (pétoncles à la pancetta, aubergines au four, fromage à la truffe, etc.). À côté de la réception de l'hôtel, **Il Fornaio Panetteria** (6h-19h30) propose au petit-déjeuner de savoureux pains et viennoiseries, tels que des scones au citron et à la noix de pécan.

VILLAGE EATERIES

Fast-food $

☎ 740-6969 ; www.nynyhotelcasino.com ; New York-New York, 3790 Las Vegas Blvd S ; tlj, horaires variables ; M MGM Grand ; V

Les rues pavées ressemblant à celles de Greenwich Village, à New York, regorgent d'établissements alliant qualité et petits prix : le Greenberg's Deli (authentiques *egg-cream sodas*, sans œufs ni crème, mais avec sirop de chocolat, eau gazeuse et lait), le Fulton's Original Fish Frye (spécialiste des fish and chips), le Gonzalez Y Gonzalez (*cantina* tex-mex où la tequila coule à flots), le Sausage Kingdom (hot-dogs) et le Chin Chin Café (*dim sum*, entre autres).

Attardez-vous dans le cadre chaleureux du Dos Caminos

PALAZZO

Pour réserver, connectez-vous sur www.palazzolasvegas.com ou appelez le ☎ 607-7777.

CUT

Steakhouse *$$$*

☎ 607-6300 ; www.wolfgangpuck.com ; Shoppes at the Palazzo, 3327 Las Vegas Blvd S ; 17h30-22h dim-jeu, 17h30-23h ven-sam, lounge 17h-1h tlj ; M Harrah's/Imperial Palace

Le chef Wolfgang Puck a encore frappé ! Le cadre moderne (mobilier aux tons de terre et d'ocre avec quelques touches d'inox et des compositions florales séchées) met en valeur la carte raffinée, qui ose le bœuf Kobé aux épices indiennes, le steak du Nebraska à la sauce chimichurri (Argentine) ou au bleu (fromage Point Reyes). Réservation indispensable.

DOS CAMINOS

Mexicain *$$*

☎ 577-9600 ; www.brguestrestaurants.com ; Palazzo, 3325 Las Vegas Blvd S ; 11h-23h dim-jeu, 11h-24h ven-sam ; M Harrah's/Imperial Palace

Ce restaurant lounge, à la cuisine mexicaine revisitée, est l'endroit idéal pour s'appesantir devant la longue carte des cocktails et des *tequila flights* (dégustation de téquila). Asseyez-vous confortablement sur les banquettes, devant l'une des tables basses, et choisissez entre une fondue au *queso* (fromage), un *ceviche* relevé aux fruits de mer crus et une viande *a la parilla* (grillée) assaisonnée de chili. Le week-end, place aux brunchs avec tacos, *huevos* (œufs) et pancakes aux *blueberries* (myrtilles).

ESPRESSAMENTE ILLY

Fast-food $

☎ 869-2233 ; www.palazzolasvegas.com ; Shoppes at the Palazzo, 3327 Las Vegas Blvd S ; 6h-24h dim-jeu, 6h-1h ven-sam ; M Harrah's/Imperial Palace
Un café lumineux aux agréables effluves d'expresso maison. Les panini maison, les crêpes et les glaces artisanales de cette enseigne italienne vous aideront à partir à l'assaut des rayons du Barneys New York (p. 94). Attention au surcoût si vous consommez sur place.

FIRST FOOD & BAR

Américain $$

☎ 607-3478 ; www.firstfoodandbar.com ; Shoppes at the Palazzo, 3327 Las Vegas Blvd S ; 11h-1h dim-jeu, 11h-4h ven-sam ; M Harrah's/Imperial Palace
Les gourmets raffolent de ce grill créatif : commandez les boulettes au *Philadelphia Cream Cheese*, les côtes de porc Dr Pepper accompagnées de carrés au fromage (*cheesy grits*) ou les cocktails au parfum de barbe à papa. Le cadre est mi-industriel mi-vintage (mobilier tendance gothique et moquette arborant des motifs en forme de tatouage) est sensiblement plus glamour après minuit, lorsque affluent les clubbeurs.

MORELS

Steakhouse/fruits de mer $$$

☎ 607-6333 ; www.palazzolasvegas.com ; Palazzo, 3325 Las Vegas Blvd S ; 11h30-23h lun-jeu, 11h30-24h ven-sam, 11h30-22h Sun ; M Harrah's/Imperial Palace
Une autre merveilleuse adresse, sortant tout droit de Los Angeles, et qui possède ses propres armes secrètes : une terrasse au-dessus du Strip, un bar à fruits de mer, un comptoir à fromage et à charcuterie et des vins au verre (grands crus français et californiens). Le service est impeccable. Réservation recommandée.

SUSHISAMBA

Japonais/sud-américain $$

☎ 607-0700 ; www.sushisamba.com ; Shoppes at the Palazzo, 3327 Las Vegas Blvd S ; 11h30-16h tlj, 17h-1h dim-mer, 17h-2h jeu-sam ; M Harrah's/Imperial Palace
Avec sa déco aux couleurs de Rio et ses projections d'arts martiaux japonais sur les murs, cet établissement élégant mélange avec succès les influences culinaires

péruviennes, brésiliennes et japonaises (grillades de viande *robata* et *churrasco*, *ceviche* au sashimi, citron et piments, ou encore délicat tempura accompagné de sauces). Impressionnant choix de sakés. Réservation recommandée.

TABLE 10

Steakhouse/fruits de mer $$

☎ 607-6363 ; www.emerils.com ; Shoppes at the Palazzo, 3327 Las Vegas Blvd S ; 🕑 11h-23h dim-jeu, 11h-24h ven-sam ; M Harrah's/Imperial Palace

Portant le même nom que le restaurant phare d'Emeril Legasse à La Nouvelle-Orléans, le Table 10 n'hésite pas à revisiter certains classiques de la cuisine américaine : *pot pie* (tourte) au homard, faux-filet et salade d'épinards, entrecôte de bœuf Angus. En dessert, goûtez les succulents *malasadas* (beignets) au chocolat blanc et à la cannelle servis avec de la crème anglaise. Mieux vaut réserver.

> **TABLES AVEC VUE**
>
> Si le panorama vous importe plus que le prix, optez pour le **Twist by Pierre Gagnaire** (p. 105) au Mandarin Oriental, l'**Alizé** (p. 125) au Palms ou le **Top of the World** (p. 115) du Stratosphere. Si le patio avec vue sur le Strip a votre préférence, réservez chez **Mon Ami Gabi** (à droite) au Paris ou chez **Morels** (ci-contre) au Palazzo.

PARIS LAS VEGAS

La Creperie ($) de la rue de la Paix est également une bonne option.

LE VILLAGE BUFFET

Buffet $$

☎ 946-7000 ; www.parislasvegas.com ; Rue de la Paix, Paris Las Vegas, 3655 Las Vegas Blvd S ; 🕑 7h-22h ; M Bally's/Paris ; V

Buffet le plus avantageux du Strip comprenant des fruits, du fromage des pattes de crabes, du pain et diverses viennoiseries. En outre, différents stands correspondent aux régions françaises. Petits-déjeuners remarquables, surtout le brunch au champagne servi le dimanche.

MON AMI GABI

Français $$

☎ 944-4224 ; www.monamigabi.com ; Paris Las Vegas, 3655 Las Vegas Blvd S ; 🕑 7h-23h dim-ven, 7h-24h sam ; M Bally's/Paris

Une imitation de brasserie des Champs-Élysées pour dîner au pied de la tour Eiffel, tout en contemplant la foule de badauds… Vous êtes prévenu, ici, c'est Las Vegas version parisienne ! Cuisine plutôt ordinaire (steak-frites, crêpes végétariennes, quiches et salades). Certains plats sont sans gluten et la cave à vin est honorable. Réservation recommandée.

PLANET HOLLYWOOD

Les restaurants de l'Earl of Sandwich ($) et les Miracle Mile Shops (p. 94) voisins offrent d'autres options meilleur marché que les adresses ci-dessous.

KOI

Sushis $$

☎ 454-4555 ; www.planethollywoodresort.com ; à l'étage, Planet Hollywood, 3667 Las Vegas Blvd S ; 17h30-22h30 dim-jeu, 17h30-23h30 ven-sam ; M Bally's/Paris

Pendant de l'établissement ultra-branché du même nom à Los Angeles (sauf qu'ici aucun paparazzi ne vous épiera devant la porte), ce bar à sushis très hype ne laisse pas indifférent. Savourez un carpaccio de limande tout en sirotant un cocktail *sunset cosmo* à l'orange sanguine.

PINK'S

Fast-food $

☎ 785-5555 ; www.pinkshollywood.com ; Planet Hollywood, 3667 Las Vegas Blvd S ; 10h30-24h dim-jeu, 10h30-3h ven-sam ; M Bally's/Paris

C'est sans conteste *le* spécialiste du hot-dog à Vegas (vous en dégusterez avec de copieuses sauces piment-fromage, jalapeño, guacamole, etc.). Plébiscité par les stars, l'endroit est parfait pour éponger tout cet alcool bu en fin de soirée. La terrasse ensoleillée du Pink's surplombe le Strip et elle est souvent prise d'assaut.

SPICE MARKET BUFFET

Buffet $$

☎ 785-5555 ; www.planethollywoodresort.com ; rez-de-chaussée, Planet Hollywood, 3667 Las Vegas Blvd S ; 7h-22h ; M Bally's/Paris

Un excellent buffet de spécialités moyen-orientales très diverses, dont de succulents desserts. Le service attentif et les plaisantes cuisines ouvertes compensent la longue attente avant d'obtenir une table.

STRIP HOUSE

Steakhouse $$$

☎ 737-5200 ; www.planethollywoodresort.com ; à l'étage, Planet Hollywood, 3667 Las Vegas Blvd S ; 17h-23h dim-jeu, 17h-24h ven-sam ; M Bally's/Paris

Lampes de chevet, banquettes en cuir et photos rétro donnent le ton de ce restaurant décontracté, aspirant à devenir un lieu de sortie prisé de Las Vegas. Commencez par le *garlic bread* (pain à l'ail) et la fondue au gorgonzola avant d'enchaîner sur un steak puis un énorme gâteau au chocolat. Carte des vins éclectique. Réservation recommandée.

STRATOSPHERE

TOP OF THE WORLD

Américain $$$

☎ 380-7711 ; www.topoftheworldlv.com ; Stratosphere, 2000 Las Vegas Blvd S ; 11h-22h30 dim-jeu, 11h-23h ven-sam ; M Sahara

Admirez la vue panoramique depuis ce restaurant élégant et romantique, pivotant au sommet de la Stratosphere Tower (p. 83). Le service est irréprochable et les mets corrects (saumon sauvage, bœuf chateaubriand pour deux, etc.), mais les prix sont excessifs. Réservation conseillée le midi, indispensable le soir. Excellente cave à vin.

TI (TREASURE ISLAND)

Réservez sur www.treasureisland.com ou au ☎ 866-286-3809. Le Phõ dans l'enceinte du Coffee Shop ($) prépare des soupes aux nouilles roboratives.

CANTER'S DELI

Traiteur juif $

☎ 894-7111 ; www.cantersdeli.com ; TI (Treasure Island), 3300 Las Vegas Blvd S ; 11h-24h ; Deuce

Installez-vous au comptoir en acier inoxydable ou dans un box pour savourer de succulentes spécialités. Service peu affable.

ISLA MEXICAIN KITCHEN

Mexicain $$

☎ 894-7223 ; www.treasureisland.com ; TI (Treasure Island), 3300 Las Vegas Blvd S ; 16h-22h dim-jeu, 16h-23h ven-sam ; Deuce

Sur fond de tableaux colorés et d'œuvres d'art audacieuces, le chef d'origine mexicaine Richard Sandoval mitonne une cuisine fusion fleurant bon le Mexique et le sud des États-Unis : guacamole parfumé à la menthe et langouste aux piments serrano, entre autres délices. N'hésitez pas à demander à d'éminents spécialistes de la téquila de vous aider à choisir parmi la longue liste d'élixirs à base d'agave.

Les incontournables des *deli* sont chez Canter's

VENETIAN ET GRAND CANAL SHOPPES

Ce petit bout d'Italie comporte un choix étourdissant de restaurants de qualité inégale. Les réservations (☎ 877-883-6423 ; www.venetian.com) sont indispensables pour les adresses les plus huppées. Au sein du spa, le Canyon Ranch Café & Grill ($$) sert une cuisine légère (p. 148), tandis que le Bouchon Bakery ($), d'inspiration française, est réputé pour ses pâtisseries.

B&B RISTORANTE

Italien $$

☎ 266-9977 ; www.mariobatali.com ; Venetian, 3355 Las Vegas Blvd S ; 17h-23h ; M Harrah's/Imperial Palace

Ce nouveau pari de Mario Batali, chef italien en vue, et de son associé viticulteur (l'autre "B"), présente des plats originaux et alléchants : raviolis aux joues de bœuf, cervelle d'agneau au citron et à la sauge. Carte des vins (à dominante européenne) également surprenante. Réservation fortement recommandée.

BOUCHON

Français $$

☎ 414-6200 ; www.bouchonbistro.com ; Venetian, 3355 Las Vegas Blvd S ; 7h-10h30 lun-ven, 8h-14h sam-dim, 17h-22h tlj ; M Harrah's/Imperial Palace

Chef prodige de la Napa Valley, Thomas Keller a recréé un petit bouchon lyonnais avec des classiques de la gastronomie française. Le choix de fruits de mer, le bar à huîtres et la terrasse au bord de la piscine sont autant d'atouts. Petits-déjeuners et brunchs indécents, fromages importés et superbe carte de vins français et californiens. Service inégal.

POSTRIO

Italien $$

☎ 796-1110 ; www.wolfgangpuck.com ; Grand Canal Shoppes, Venetian, 3377 Las Vegas Blvd S ; 11h-22h dim-jeu, 11h-22h30 ven-sam ; M Harrah's/Imperial Palace ;

Au menu de cette filiale du restaurant de Wolfgang Puck à San Francisco, quelques-unes des joyeuses spécialités du maître d'œuvre (notamment pizzas, pâtes et de généreux desserts). Préférez le patio, d'où vous pourrez regarder les passants, au restaurant à l'ambiance guindée. La cave des vins est intéressante.

TAO *Asiatique* $$$

☎ 388-8338 ; www.taolasvegas.com ; Grand Canal Shoppes, Venetian, 3377 Las Vegas Blvd S ; 17h-24h dim-jeu, 17h-1h ven-sam ; M Harrah's/Imperial Palace

Ce lieu aménagé selon les principes du feng-shui en fait un peu trop en matière de déco (un gigantesque bouddha flotte au-dessus d'une piscine). Les *dim sum* sont apportés sur un chariot traditionnel. Également des nouilles *udon* et du canard pékinois. Excellents sakés. Réservez… si vous y parvenez ! Tenue éblouissante de rigueur, surtout si vous prévoyez d'enchaîner avec le night-club Tao (p. 144).

WYNN ET ENCORE

Réservation (au ☎ 248-3463 ou 888-352-3463) et tenue de soirée vivement recommandées.

ALEX

Français/méditerranéen $$$

☎ 770-3463 ; Wynn, 3131 Las Vegas Blvd S ; 18h-22h mer-dim ; Ace Gold

Ce restaurant gastronomique évoquant la côte d'Azur est tenu par Alessandro Stratta, cuisinier plusieurs fois récompensé, qui y mitonne de savoureuses recettes (cuisses de grenouille au confit d'ail, crustacés au pamplemousse et à l'oursin). Le chef pâtissier fait également des merveilles. Réservation impérative ; port de la veste conseillé pour les hommes.

THE BUFFET *Buffet* $$

☎ 770-3463 ; www.wynnlasvegas.com ; Wynn, 3131 Las Vegas Blvd S ; 8h-22h dim-jeu, 8h-22h30 ven-sam ; Ace Gold

Le buffet du Wynn garantit une expérience particulièrement réjouissante. Aux différents comptoirs se préparent d'excellents *ribs* (travers de porc), pizzas et recettes barbecue. *Ceviche* de fruits de mer, salades et fruits d'une grande fraîcheur. Desserts tentants.

SINATRA

Italien $$

☎ 248-3463 ; Encore, 3131 Las Vegas Blvd S ; 17h30-22h ; Deuce

Le légendaire crooner se serait senti chez lui dans ce cadre luxueux (splendides chandeliers, banquettes, copies de statues classiques) avec vue sur les jardins. On se régale de classiques italo-américains : lasagnes, poulpe en sauce, osso bucco "My Way" et spaghettis aux palourdes. Réservation recommandée.

STRATTA

Italien $$

☎ 770-3463 ; www.wynnlasvegas.com ; Wynn, 3131 Las Vegas Blvd S ; 11h30-14h30 ven-dim, 17h30-22h30 tlj, 23h-4h jeu-lun ; Ace Gold

Si votre porte-monnaie ne vous permet pas de faire halte au restaurant Alex d'Alessandro Stratta (à gauche), essayez cette trattoria décontractée, à côté du casino. On s'y délecte de pizzas au feu de bois, de sandwichs aux boulettes de viande et de pâtes *alla puttanesca*. Idéal avant une sortie au théâtre ou une virée dans les discothèques. Impossible de résister aux tiramisu, *cannoli* et glaces maison.

SWITCH

Steakhouse $$

☎ 248-3463 ; Encore, 3131 Las Vegas Blvd S ; 17h30-22h ; Deuce

Switch ou la passion de Vegas pour l'artifice et la mise en scène ! Ici, impossible de s'ennuyer, la déco intérieure et l'ambiance changent toutes les 20 minutes : les murs laissent place à des tableaux variés, des lustres descendent du plafond et le fond musical varie. La carte semble bien fade par comparaison. Mieux vaut réserver.

TABLEAU

Américain moderne $$

☎ 248-3463 ; www.wynnlasvegas.com ; Tower Suites, Wynn, 3131 Las Vegas Blvd S ; 8h-10h30 et 11h30-14h30 lun-ven, 8h-14h30 sam-dim ; Ace Gold

L'endroit idéal pour se prendre pour une VIP. Les grands atouts de l'établissement sont le petit-déjeuner et le brunch, où vous trouverez absolument tout (du jus de pastèque aux pancakes citron-ricotta en passant par des sandwiches au bœuf de Kobe). Oubliez le repas du midi, peu avantageux.

TERRACE POINT CAFÉ

Américain $$

☎ 248-3463 ; www.wynnlasvegas.com ; Wynn, 3131 Las Vegas Blvd S ; 7h-22h ; Ace Gold

Avec son ambiance country-club raffinée et sa terrasse ensoleillée au bord de la piscine, ce café sort décidément du lot. Si le service est soigné et les portions extrêmement copieuses, les prix restent tout de même très élevés.

DOWNTOWN

ALOHA SPECIALTIES

Fast-food $

☎ 385-1222 ; www.thecal.com ; California, 12 E Ogden Ave ; 9h-21h dim-jeu, 9h-22h ven-sam ; Deuce

Les joueurs chanceux et les familles originaires de Hawaï se rassemblent souvent dans cette enseigne du premier étage (à côté de la passerelle du Cal) pour savourer des spécialités de l'île, dont de généreuses portions de porc *kalua*, de poulet *katsu* et de bols de soupe *saimin*. Le glacier hawaïen Lappert's se tient non loin.

BINION'S CAFE

Américain $

☎ 382-1600 ; www.binions.com ; Binion's, 128 E Fremont St ; 24h/24, fermé 7h-10h ven-dim ; Deuce

À l'étage du casino, ce snack-bar prépare sur son comptoir rétro des burgers tout frais (aucune viande surgelée) et bien garnis : oignons grillés, laitue Iceberg et larges rondelles de tomates. N'hésitez pas à bavarder avec les anciens qui travaillent au grill tout en vous régalant d'une belle part de tarte à la cerise.

BINION'S RANCH STEAKHOUSE

Steakhouse $$

382-1600 ; www.binions.com ; Binion's, 128 E Fremont St ; 17h-22h30 ; Deuce

Lorsque les cow-boys ont fini leur partie de poker, ils empruntent l'ascenseur de verre jusqu'à ce grill huppé, à l'ambiance rétro, situé au 24e étage. La vue est splendide et les côtelettes de porc (*chops*) savoureuses. Réservation recommandée.

CHART HOUSE

Fruits de mer $$

386-8364 ; www.chart-house.com ; Golden Nugget, 129 E Fremont St ; 11h30-23h lun-jeu, 11h30-23h30 ven-sam, 11h30-22h30 dim ; Ace Gold

Juché au comptoir, laissez-vous hypnotisé par le gigantesque aquarium tropical qui fait l'originalité de ce restaurant tape-à-l'œil. Le flet (*flounder*) farci, l'albacore aux épices, la daurade coryphène en croûte de noix

Le cadre italien très réaliste du Grotto (p. 120)

de macadamia, les crevettes au coco et les pinces de crabe sont toutefois les vraies stars. Pour un apéritif détonant, essayez le martini aux fruits de mer et au *kimchi* (mets coréen composé de piments et de légumes fermentés) accompagné de son trio d'houmous.

DU-PAR'S

Américain/fruits de mer $

385-1906 ; www.goldengatecasino.net ; Golden Gate, 1 E Fremont St ; 24h/24, Shrimp Bar & Deli 11h-3h ; Deuce

Ce *diner* au sein du plus ancien hôtel de Fremont St (ouvert depuis 1906) est réputé pour ses pancakes, ses plats du jour, ses *donuts* et ses *pies* d'une grande fraîcheur. Le San Francisco Shrimp Bar & Deli prépare le meilleur cocktail de crevettes de la ville pour 1,99 $.

FLORIDA CAFÉ

Cubain $

385-3013 ; www.floridacafecuban.com ; Howard Johnson hotel, 1401 Las Vegas Blvd S ; 8h-22h ; Deuce ;

Dans ce haut lieu de la communauté cubaine issue du quartier de Naked City à Vegas, le chef est lui-même originaire de l'île et concocte d'authentiques spécialités dans un cadre évocateur. Le *café con leche,* les flans au caramel et les *batidos* (milk-shakes tropicaux) sont extra.

GROTTO

Italien $$

385-7111 ; www.goldennugget.com ; Golden Nugget, 129 E Fremont St ; 11h30-22h30 dim-jeu, 11h30-23h30 ven-sam, bar à pizza jusqu'à 24h dim-jeu, jusqu'à 1h ven-sam ; Deuce

Prélassez-vous à une terrasse ensoleillée à côté du toboggan aquatique et de la piscine du Nugget. Les gnocchis et l'osso bucco sont les points d'orgue de la carte, mais on vient surtout pour les pizzas cuites au four à bois et le choix des vins (plus de 200 crus italiens).

LUV-IT FROZEN CUSTARD

À emporter $

384-6452 ; www.luvitfrozencustard.com ; 505 E Oakey Blvd ; 13h-22h mar-jeu, 13h-23h ven-sam, plus 13h-22h dim-lun mai-août, fermé déc ; Deuce ;

Ouvert depuis 1973, Luv-It sert des *custards* (crèmes anglaises) maison particulièrement crémeuses. Les parfums changent tous les jours. Goûtez la barre Luv Stick au chocolat, le milk-shake *double-thick* ou l'énorme sundae. Règlement en espèces uniquement.

MERMAIDS

Fast-food $

382-5777 ; 32 E Fremont St ; 24h/24 ; Deuce

Enfilez un collier de perles multicolores à l'entrée avant

d'aller vous régaler de Twinkies (petits gâteaux crémeux) et d'Oreo frits et saupoudrés de sucre – délicieusement décadents.

TRIPLE GEORGE GRILL

Steakhouse/fruits de mer $$

☎ 384-2761 ; www.triplegeorgegrill.com ; 201 N 3rd St ; 11h-16h lun, 11h-22h mar-ven, 16h-22h sam ; Deuce

Le style rétro assez clinquant des lieux est prisé des personnalités influentes de la ville, qui s'y régalent de plantureux steaks (*dry-aged*) ou de plats de fruits de mer classiques, mais surtout d'excellents cocktails et de grands crus, également servis au Sidebar voisin.

VIC & ANTHONY'S

Steakhouse/fruits de mer $$

☎ 386-8399 ; www.vicandanthonys.com ; Golden Nugget, 129 E Fremont St ; 17h-23h ; Deuce

LES MEILLEURES ADRESSES EN DEHORS DES CASINOS

> Firefly (p. 122 ; également au Plaza, p. 67)
> Hash House A Go Go (p. 126 ; également à l'Imperial Palace, p. 66)
> Luv-It Frozen Custard (ci-contre)
> Origin India (p. 123)
> Rosemary's (p. 128)

Les lourdes tentures rouges, les faux vitraux au plafond et les chaises en cuir contribuent à la solennité et au confort du lieu. Au menu figurent les incontournables : cakes au crabe (*jumbo lump crab cakes*), homard du Maine, bœuf nourri aux céréales du Middle-West, caviar Beluga et un divin *chocolate fudge cake*. Réservation recommandée.

EST DU STRIP

AGO

Italien $$

☎ 693-4440 ; www.hardrockhotel.com ; Hard Rock, 4455 Paradise Rd ; 18h-23h dim-jeu, 18h-24h ven-sam ; 108

Avec le grand Robert De Niro pour copropriétaire, ce restaurant sélect aurait du mal à ne pas faire mouche. Le chef Agostino Sciandri mitonne de savoureuses spécialités du nord de l'Italie, tels que des pâtes maison, des pizzas, du risotto aux champignons sauvages, des fruits de mer raffinés et divers plats de viande. Desserts très inspirés.

ENVY

Steakhouse $$

☎ 784-5716 ; www.envysteakhouse.com ; Renaissance, 3400 Paradise Rd ; 6h30-14h30 lun-sam, 6h30-15h dim, 17h-22h tlj ; M Convention Center

Situé près du Convention Center, cet établissement qui porte bien son nom attire les huiles de la ville

Relaxez-vous devant une sangria au pétillant Firefly

dans son cadre vivement coloré. Les viandes et les fruits de mer remportent les suffrages, tout comme la carte des vins et les accompagnements, incluant du maïs à la crème de bourbon. Au petit-déjeuner, les clients raffolent du pain perdu (*French toasts*) brioché au citron et des gaufres au pain d'épice avec glace à la cannelle. Réservation recommandée.

FIREFLY

Tapas $$

☎ 369-3971 ; www.fireflylv.com ; Citibank Plaza, 3900 Paradise Rd ; 11h30-2h dim-jeu, 11h30-3h ven-sam ; 108

Un lieu toujours pris d'assaut par la clientèle branchée locale, attirée par les nombreux célibataires mais aussi par la cuisine. Ce restaurant de tapas se trouve à mi-chemin entre la cuisine fusion et la tradition espagnole, des *patatas bravas* aux palourdes au chorizo en passant par les bouchées végétariennes. Sangrias et mojitos (les spécialités maison) peuvent aussi être sirotés au bar. Certains soirs, des DJ latinos sont aux platines. Il est fortement recommandé de réserver.

LINDO MICHOACAN

Mexicain $$

☎ 735-6828 ; www.lindomichoacan.com ; 2655 E Desert Inn Rd ; 10h30-23h lun-jeu, 10h30-24h ven, 9h-24h sam, 9h-23h dim ; navette gratuite du Strip ;

Les céramiques faites main et les faux murs en adobe contribuent à l'atmosphère dépaysante. Au menu, des classiques de la cuisine mexicaine préparées d'après des recettes familiales : fruits de mer *ranch-style*, poulet à la sauce *mole* et *menudo* (soupe de tripes et de maïs).

LOTUS OF SIAM

Thaï $$

735-3033 ; www.saipinchutima.com ; 953 E Sahara Ave ; 11h30-14h lun-ven, 17h30-21h30 lun-jeu, 17h30-22h ven-dim ; 204 ; V

Les gourmets raffolent de ce petit établissement qui ne paie pas de mine. Son authentique cuisine nord-thaïlandaise remporte les suffrages, tout comme sa belle sélection de vins d'Europe et du Nouveau-Monde.

METRO PIZZA

Pizza $

736-1955 ; www.metropizza.com ; 1395 E Tropicana Ave ; 11h-22h dim-jeu, 11h-23h ven-sam ; 201 ;

À défaut de venir jusqu'ici goûter le meilleur *thin-crust pie* de Vegas, vous pourrez vous rabattre sur le comptoir Metro situé dans l'enceinte de l'**Ellis Island Casino & Brewery** (312-5888 ; 4178 Koval Lane), ouvert 24h/24, à l'est du Strip.

NOBU

Japonais fusion $$$

693-5090 ; www.hardrockhotel.com ; Hard Rock, 4455 Paradise Rd ; 18h-23h ; 108

Le petit frère de l'établissement du même nom ouvert à New York par le chef japonais Matasuhisa est presque aussi bon que l'original. Cadre zen avec bambou et musique apaisante. Restez sur les grands classiques, comme la morue noire accompagnée de miso. Si votre budget le permet, essayez la formule spéciale *omakase* (à partir de 100 $). Réservation indispensable.

ORIGIN INDIA

Indien $$

734-6342 ; www.originindiarestaurant.com ; 4480 Paradise Rd ; 11h30-23h30 ; 108 ; V

Dans une salle élégante, pailletée d'or et nantie de fauteuils en cuir, les amateurs d'aventure culinaire savourent les spécialités indiennes originales, des recettes ancestrales aux versions fusion. Grillades *tandoori* exceptionnelles et carte des vins interminable. Le paradis des végétariens.

PAYMON'S MEDITERRANEEN CAFÉ

Méditerranéen $$

731-6030 ; www.paymons.com ; 4147 S Maryland Parkway ; 11h-1h ; 109, 202, Ace C-Line ; V

Spécialités moyen-orientales parfaites pour les végétariens : aubergines grillées à l'ail frais, *baba ganoush* (purée d'aubergines), *burani* et houmous. Les carnivores se régaleront d'agneau rôti, de *kibbé* (boulettes de viande) au four, de *gyros* (viande à la tomate) ou de kebab. Son voisin, le Hookah Lounge (p. 136) est très attrayant.

John Curtas

Critique gastronomique à la radio et à la télévision, avocat et insatiable blogueur culinaire (www.eatinglv.com)

Comment êtes-vous devenu gastronome ? J'ai beaucoup lu et j'ai suivi des cours de cuisine, notamment auprès de Julia Child – j'étais le seul homme au milieu d'une salle remplie de femmes d'âge mûr, qui prenaient des notes et s'amusaient. **Depuis quand Vegas figure-t-elle sur la scène culinaire internationale ?** L'arrivée à Vegas de chefs français comme Joël Robuchon (p. 108) et Guy Savoy (p. 104) a légitimé son image de ville gastronomique. **Qu'ignore-t-on à propos de la nourriture à Vegas ?** Les restaurants des grands chefs sont tout à fait à la hauteur des établissements d'origine, à Paris ou à New York. **La plus grosse erreur commise par les visiteurs en quête d'un restaurant ?** N'écoutez pas les concierges des hôtels ni les chauffeurs de taxi. **Cela vaut-il la peine de manger en dehors du Strip ?** Il faut être idiot ou vraiment flambeur pour manger asiatique dans un hôtel-casino. On trouve les mêmes plats dans Spring Mountain Rd (ci-contre) pour deux fois moins cher. **Le meilleur événement gastronomique ?** Vegas Uncork'd (www.vegasuncorked.com), où on peut rencontrer très facilement de grands maîtres comme Alain Ducasse.

STUDIO B BUFFET

Buffet $$

797-1000 ; www.themresort.com ; M Resort, 12300 Las Vegas Blvd S ; 11h-21h lun-ven, 10h-22h sam-dim

Sans doute la meilleure formule buffet en dehors du Strip, à déguster après avoir assisté à un cours de cuisine retransmis sur écran ! Le stand de glaces et les plats de fruits de mer (à volonté) le week-end sont autant d'atouts. Bière et vin offerts.

OUEST DU STRIP

ALIZÉ

Français $$$

951-7000 ; www.alizelv.com ; 56e étage, Palms, 4321 W Flamingo Rd ; 17h30-22h ; 202

Le restaurant gastronomique du chef français André Rochat apporte un vent de volupté dans cette ville électrique. Du haut de cette salle du 56e étage pourvue de larges baies vitrées, vous aurez une vue fantastique sur le Strip, où que vous soyez assis. La vue est peut-être plus époustouflante que la fine cuisine concoctée ici (terrine de foie gras, carpaccio de bœuf, homard thermidor, etc.). Un grand mur lumineux formé de bouteilles de vin et de spiritueux trône derrière le bar. Mettez-vous sur votre trente et un. Réservation impérative.

BUFFETS DU CARNIVAL WORLD ET VILLAGE SEAFOOD

Buffet $$

777-7777 ; www.riolasvegas.com ; Rio, 3700 W Flamingo Rd ; Carnival World 8h-22h, Village Seafood 16h-22h dim-jeu, 15h30-22h30 ven-sam ; navette gratuite du Strip

Le buffet du Carnival World est l'un des meilleurs de Vegas : plats au wok, stands de *tacos*, fruits de mer et glaces maison. Plus onéreux, le Village Seafood séduira les amateurs de crabes, queues de langouste, huîtres, salades et pains artisanaux.

CHINATOWN PLAZA

Asiatique $

221-8448 ; www.lvchinatown.com ; 4255 Spring Mountain Rd ; tlj, horaires variables ; 203

Les restaurants asiatiques sont légion autour de Chinese Gate, dans Spring Mountain Rd (Chinatown) : *barbecue houses* de Hong Kong, établissements de pho vietnamiens, bars à sushis et magasins de thé.

GARDUÑO'S

Sud-Ouest américain $$

942-7777 ; www.palms.com ; Palms, 4321 W Flamingo Rd ; 11h-15h et 16h-22h ; 202

Cet établissement propose une carte traditionnelle de spécialités du Nouveau-Mexique avec des *tamales* au porc, des *blue-corn enchiladas* au poulet, fromage et sauces au piment. Le Blue Agave Oyster & Chilé Bar attenant est parfait pour une margarita à la noix de coco ou une liqueur.

GOLDEN STEER

Steakhouse $$

☎ 384-4470 ; http://golden.snapsweb.com ; 308 W Sahara Ave ; 11h30-16h30 lun-ven, 17h-23h tlj ; Ace Gold

Ce steakhouse merveilleusement rétro n'est peut-être pas le meilleur de la ville, mais il accueillit jadis le fameux Rat Pack et le King en personne. Parfait pour vous imprégner de l'atmosphère du vieux Vegas.

HASH HOUSE A GO GO

Américain $$

☎ 804-4646 ; www.hashhouseagogo.com ; 6800 W Sahara Ave, à l'est de S Rainbow Blvd ; 7h30-14h30 tlj, 17h30-21h lun-jeu, 17h30-22h ven-sam ; 204 ; V

Prenez des forces avant de mettre le cap sur le Red Rock Canyon (p. 160). Ici, vous dégusterez des produits frais provenant de la ferme et cuisinés avec brio. Les pancakes sont presque aussi larges qu'une roue de tracteur et les *hashes* (hachis) sont gigantesques. Pour le dîner : *meatloaf* (pain de viande) et mozzarella fumée, *pot pies*, poulet frit sur gaufres au bacon, *sloppy joes* (burgers) au sanglier…

MEILLEURS PETITS-DÉJEUNERS

- Hash House A Go Go (à gauche)
- Le Village Buffet (Paris Las Vegas ; p. 113)
- Payard Bistro (Caesars Palace ; p. 103)
- Café Peppermill (Fireside Lounge ; p. 134)
- Terrace Point Café (Wynn ; p. 118)

IN-N-OUT BURGER

Fast-food $

☎ 800-786-1000 ; www.in-n-out.com ; 4888 Dean Martin Dr ; 10h30-1h dim-jeu, 10h30-1h30 ven-sam ; 201 ;

Pour son "menu secret", cette enseigne d'une institution californienne n'utilise jamais de viande surgelée et, tous les jours, les pommes de terre sont coupées à la main. Demandez un burger *animal style* (servi avec moutarde, pain grillé, oignon et sauce spéciale).

LBS BURGER JOINT

Américain $

☎ 835-9393 ; www.redrocklasvegas.com ; Red Rock, 11011 W Charleston Blvd ; 11h30-22h dim-jeu, 11h30-23h ven-sam ; 206 ;

Une adresse à l'écart du Strip, mais qui mérite amplement le détour pour ses burgers faits à partir de viandes (bœuf, dinde) et de légumes biologiques, de petits pains maison et de garnitures inédites (brie et champignons, bacon fumé et œuf frit). Avec un bretzel tiède et un milk-shake à la vodka, on se croirait presque devant un *happy meal* pour adulte.

N9NE

Steakhouse/fruits de mer $$$

933-9900 ; www.n9nesteakhouse.com ; Palms, 4321 W Flamingo Rd ; 17h-22h dim-jeu, 17h-23h ven-sam ; 202

Un endroit notamment fréquenté dans l'espoir d'apercevoir une des stars hollywoodiennes qui y font parfois halte. La salle s'articule autour du comptoir à champagne et à caviar. La clientèle installée aux tables et dans les box se régale de steaks ou de côtelettes, mais aussi d'huîtres façon Rockefeller et de sashimis du Pacifique. Réservation indispensable.

NOVE ITALIANO

Italien $$

942-6800 ; www.n9negroup.com ; 51e étage, Palms, 4321 W Flamingo Rd ; 17h30-22h30 dim-jeu, 17h30-23h ven-sam ; 202

Entre le mobilier rococo et les immenses baies, ce petit bijou est une halte prisée des fêtards avant de se lancer sur les pistes de danse. À l'image du cadre, la carte mêle des plats classiques (pizzas, pâtes, salades) à une cuisine du monde (filet de limande crue, entre autres).

OYSTER BAR

Fruits de mer/cuisine du Sud $$

367-2411 ; www.palacestation.com ; 2411 W Sahara Ave ; 11h-23h dim-jeu, 11h-1h ven-sam ; 204

Il vous faudra peut-être faire la queue avant d'obtenir une table dans ce petit établissement spécialisé dans les produits de la mer, étrangement situé au milieu d'un casino très apprécié de la population locale. Vous serez récompensé de vos efforts en goûtant le *gumbo* cajun, les moules à l'étouffée ou le ragoût *cioppino*. La tarte au citron vert et le cheesecake *NYC-style* sont parfaits pour clôturer l'expérience. Sans réservation.

PING PANG PONG

Chinois $$

367-7111 ; www.goldcoastcasino.com ; Gold Coast, 4000 W Flamingo Rd ; 10h-15h et 17h-3h ; 202

Cette enseigne toujours bondée est très appréciée des visiteurs asiatiques. Élaborée par le chef Kevin Wu, la carte aborde de nombreuses régions de Chine, de la soupe de poisson pékinoise aux nouilles de Shanghai. Le midi, un chariot à *dim sum* circule entre les allées. Service ultrarapide au moins onéreux **Noodle Exchange** (12h-23h).

RAKU

Japonais $$

367-3511 ; www.raku-grill.com ; 5030 Spring Mountain Rd ; 18h-3h lun-sam ; 203

À la lisière de Chinatown, ce grill japonais façon *robata* vous assure un véritable voyage de saveurs. Commencez par un saké de première qualité avant d'enchaîner avec des entrées créatives froides ou chaudes, des brochettes *yakitori*, de la soupe aux nouilles *udon* ou un en-cas *oden* cuit au bouillon. Cet endroit chic ne dispose que de quelques tables : réservez ou soyez prêt à patienter une heure au minimum.

ROSEMARY'S

Américain moderne $$

869-2251 ; www.rosemarysrestaurant.com ; 8125 W Sahara Ave, à l'ouest de S Buffalo Dr ; 11h30-14h lun-ven, 17h30-22h tlj ; 204

Les mots manquent pour décrire l'extase épicurienne que réserve cet étonnant restaurant, installé dans un centre commercial assez loin du Strip. Les mets subtils comme les crevettes Texas barbecue ou les côtelettes de porc à la sauce moutarde créole ne vous feront pas regretter le détour. Les vins et les bières sont sublimes. Réservation indispensable.

Vous prendrez bien un verre au SushiSamba (p. 112) ?

AFTER HOURS

Les lieux branchés pour les fins de soirée et les formules spéciales *graveyard* (après minuit) changent sans cesse. Il reste difficile de rivaliser avec l'**Ellis Island Casino & Brewery** (☎ 733-8901 ; www.ellisislandcasino.com ; 4178 Koval Lane) qui sert 24h/24 un menu incluant un steak de 280 g (6,99 $). Parmi les autres bonnes options pour se restaurer à l'heure des afters : **BLT Burger** (p. 109), **First Food & Bar** (p. 112), **Social House** (p. 105), **Stratta** (p. 117), **Pink's** (p. 114), **Firefly** (p. 122), **Raku** (ci-contre), **Ping Pang Pong** (p. 127) et **In-N-Out Burger** (p. 126).

SIMON

Américain moderne $$

☎ 944-3292 ; www.simonatpalmsplace.com ; Palms Place, 4381 W Flamingo Rd ; 7h-23h ; 202

Une clientèle branchée se précipite au restaurant du célèbre Kerry Simon aménagé au bord d'une piscine. La plupart des plats semblent préparés au petit bonheur la chance, mais le brunch du dimanche atteint un niveau imbattable en matière de *comfort-food* version gastronomique, du poulet frit aux gaufres en passant par les recettes à base de rice-krispie.

VEGGIE DELIGHT

Végétarien $

☎ 310-6565 ; 3504 Wynn Rd ; 11h-21h ; 203 ; V

Au sud de la rue principale de Chinatown, ce restaurant végétarien (et végétalien sur demande), tenu par des bouddhistes, propose des soupes vietnamiennes, des sandwichs baguette et des rouleaux de printemps. Pourquoi ne pas choisir le menu à base de tonifiants naturels adaptés à vos chakras ?

VINTNER GRILL

Méditerranéen $$

☎ 214-5590 ; www.vglasvegas.com ; 10100 W Charleston Blvd, près d'Indigo Dr ; 11h-22h lun-jeu, 11h-23h ven, 16h-23h sam-dim

Installé au sein d'un parc de bureaux, ce lieu raffiné attire une clientèle romantique sur sa ravissante terrasse, où scintillent des lumières blanches. Le midi, goûtez les pitas au feu de bois, les panini, les fruits de mer et les soupes. Au dîner, des classiques comme le veau *London broil* et l'osso bucco d'agneau témoignent d'influences continentales. Desserts exécutés par Vosges Haut-Chocolat. Réservation recommandée.

道
TAO
GIFT SHOP
TAO
ASIAN BI
CAESARS PALACE
CHER

SORTIR

À toute heure, le Strip est le centre névralgique de Vegas. Assistez à un spectacle avant minuit, déhanchez-vous jusqu'à l'aube et détendez-vous dans un spa l'après-midi. Les cow-boys d'antan ont laissé place aux vedettes… et aux stars de la scène que l'on croyait disparues.

Les activités proposées sur le Strip sont si diverses que l'on peut aisément y laisser sa chemise – à moins de préférer les spectacles gratuits comme la chorégraphie aquatique des fontaines du Bellagio. Entre les boîtes branchées de Downtown, les bars à l'est du Strip (rendez-vous des étudiants et des gays), les clubs de strip-tease des zones industrielles à l'ouest de l'I-15 et les bars et casinos des banlieues, les habitants de Las Vegas n'ont que l'embarras du choix.

Tabloïds alternatifs gratuits, le *Las Vegas Weekly* (www.lasvegasweekly.com) et le *Las Vegas CityLife* (www.lvcitylife.com) paraissent le jeudi. Avec le supplément "Neon" du *Las Vegas Review-Journal* du vendredi, ils offrent un panorama complet des sorties en ville. Feuilletez également des magazines gratuits comme *What's On, Las Vegas Magazine* et *Showbiz Weekly*.

BILLET GAGNANT !

Ticketmaster (☎ 800-745-3000 ; www.ticketmaster.com). Billets pour les grandes rencontres sportives, concerts de vedettes et autres spectacles.

Tix 4 Tonight (☎ 877-849-4868 ; www.tix4tonight.com ; 🕓 la plupart des adresses 10h-20h). Le Strip (Bill's Gamblin' Hall & Saloon, p. 64 ; Casino Royale, p. 65 ; Fashion Show, p. 92) ; Downtown (Four Queens, 202 E Fremont St) ; Nord du Strip (sud de Riviera, 2955 Las Vegas Blvd S) ; Sud du Strip (Hawaiian Marketplace, 3743 Las Vegas Blvd S ; Showcase Mall, 3785 Las Vegas Blvd S). Billets à prix réduit pour les spectacles, attractions et circuits du jour même.

En haut à gauche Le zen n'est pas de mise sur la piste de danse du Tao (p. 144) **En bas à gauche** Éblouir et être ébloui sur le patio de Pure (p. 143)

CALENDRIER

À Las Vegas, la fête ne s'arrête jamais, quels que soient l'heure ou le jour. L'animation bat son plein pendant les vacances (p. 195) ; au Nouvel An, la foule qui envahit le Strip est digne de Times Square, à New York. La ville se remplit aussi pour les grandes rencontres sportives (p. 149). Contactez le **Las Vegas Convention & Visitors Authority** (LVCVA ; ☎ 892-0711, 877-847-4858 ; www.visitlasvegas.com ; 3150 Paradise Rd ; guichet 8h-17h, numéro gratuit 7h-19h) pour connaître l'actualité.

Février/mars

Vegas High Rollers (www.lvscooterrally.com). Concerts live et danse, soirées karaoké *Gong Show*, tournois de poker et excellents happy hours rythment ce rallye de scooters.

Avril

UNLVino (www.unlvino.com). Ce festival associatif de dégustation de vin rassemble des œnophiles autour de 750 crus et d'une vente aux enchères de vins célèbres.

Viva Las Vegas (www.vivalasvegas.net). Week-end incontournable sur le thème du rockabilly avec soirée piscine tiki, cours de jive, concours de danse de cabaret et défilé de voitures dopées.

Mai

Helldorado Days (www.elkshelldorado.com). Remontant aux années 1930, ce bal historique donne lieu à des rodéos, des promenades à cheval, des concerts de groupes et DJ de musique country, un carnaval familial, un défilé et des feux d'artifice à Downtown.

Juin et juillet

CineVegas (www.cinevegas.com). Suspendu temporairement, ce prestigieux festival propose des films de nouveaux réalisateurs ou stars d'Hollywood dans les cinémas Brenden Theatres (p. 137).

BARS

La plupar des bars de Sin City sont envahis de fumée : l'interdiction de fumer ne s'applique qu'aux établissements qui servent à manger (voir p. 181). De nombreux bars ouvrent jusqu'à 2h du matin, voire toute la nuit. Les *happy hours* ont généralement lieu de 16h à 19h, avec un "*happy hour graveyard*" à partir de minuit.

107 LOUNGE

☎ 380-7711 ; www.topoftheworldlv.com ; 107e niv, Stratosphere Tower,

World Series of Poker (www.wsop.com). Joueurs sérieux, employés de casino et stars disputent plus de 40 tournois sous les regard du public (entrée gratuite).

Août

Def Con (www.defcon.org). Le plus grand rassemblement national de pirates informatiques se déroule sur un long week-end, à grand renfort de caféine.

Septembre

Las Vegas BikeFest (www.lasvegasbikefest.com). La manifestation attire motards et joueurs de poker en Harley, qui fondent sur la ville pour une débauche de motos personnalisées et de bikinis.

Octobre

Professional Bull Riders World Finals (www.pbrnow.com). Cinq jours à la mi-octobre, la ville s'enfièvre pour le rodéo de taureaux à l'occasion du PBR.

Novembre

Aviation Nation (www.nellis.af.mil). Se déroulant à la Nellis Air Force Base, la plus célèbre démonstration aérienne militaire et civile américaine est l'occasion de voir à l'œuvre les Thunderbirds.

Décembre

Wrangler National Finals Rodeo (www.nfrexperience.com). Très apprécié, ce festival de 10 jours est ponctué d'une demi-douzaine de compétitions de cow-boys dopés à l'adrénaline, notamment combats de taureau et *bull riding*

2000 Las Vegas Blvd S ; montée en ascenseur 16 $; 16h-1h dim-jeu, 16h-2h ven et sam ; M Sahara
Impossible de s'élever plus haut à Vegas sans l'approbation d'un contrôleur aérien. Du mercredi soir au samedi soir, on sirote les "martinis en altitude" sur fond de jazz au milieu d'une foule huppée. Tenue élégante de rigueur.

BAR AT TIMES SQUARE

☎ 740-6466 ; www.nynyhotelcasino.com ; Greenwich Village, New York-New York, 3790 Las Vegas Blvd S ; entrée 10 $, réservation 15 $ dim-jeu, 25 $ ven

et sam ; 24h/24 (musique live 20h-2h) ; M MGM Grand
Les baby-boomers apprécieront l'ambiance entraînante du piano-bar de Greenwich Village. Arrivez tôt, faute de quoi vous devrez attendre pendant que la fête copieusement arrosée bat son plein à l'intérieur.

BEAUTY BAR

598-1965 ; www.beautybar.com ; 517 E Fremont St ; entrée libre-10 $; généralement 22h-4h ; Ace Gold
Sirotez un cocktail, admirez les démonstrations hebdomadaires de manucure ou détendez-vous simplement dans les entrailles d'un salon de beauté du New Jersey des année 1950. DJ et groupes live se succèdent, passant un mélange de sons aux accents tiki, garage rock des années 1980, punk, funk et soul. Sortez vos plus beaux atours rétro.

CARNAVAL COURT

369-5000 ; www.harrahslasvegas.com ; en dehors de Harrah's, 3475 Las Vegas Blvd S ; entrée libre-10 $; 12h-2h dim-jeu, 12h-3h ven et sam ; M Harrah's/Imperial Palace
D'habiles barmen font du grand spectacle pour une foule tapageuse de vieux étudiants. Malgré les groupes qui reprennent des tubes pop et rock le soir, les yeux sont plutôt tournés vers les jolis minois accoudés au bar. Une invitation à la fête…

VERRE AVEC VUE

- 107 Lounge (Stratosphere ; p. 132)
- Foundation Room (Mandalay Bay ; p. 142)
- Ghostbar (Palms ; p. 153)
- Mandarin Bar & Tea Lounge (CityCenter ; p. 136)
- Mix (THEhotel at Mandalay Bay ; p. 137)

DOWNTOWN COCKTAIL ROOM

880-3696 ; www.downtownlv.net ; 111 Las Vegas Blvd S ; entrée libre-10 $; 16h-2h lun-ven, 19h-2h sam ; Ace Gold
Avec une carte de cocktails bien conçue, cette adresse aux allures de bar clandestin, garni de coussins en satinette et de canapés en daim, semble bien loin des bars à l'ancienne de Fremont St. Comme il se doit, l'entrée est dissimulée.

FIRESIDE LOUNGE

735-4177 ; www.peppermilllasvegas.com ; Peppermill, 2985 Las Vegas Blvd S ; 24h/24 ; Deuce
Ne vous fiez aux néons arc-en-ciel : derrière la façade de ce café rétro vous attend le bar le plus envoûtant du Strip (p. 18). Les couples d'amoureux craquent pour son foyer à même le sol, ses recoins douillets en velours bleu et sa fausse végétation tropicale. Goûtez le Scorpion.

FRANKIE'S TIKI ROOM

☎ 385-3110 ; www.frankiestikiroom.com ; 1712 W Charleston Blvd ; 24h/24 ; 206

À l'ouest de l'I-15 dans 18b, l'Arts District de Downtown, cet authentique *tiki bar* (bar à thème polynésien ; voir p. 141) offre un cadre tropical kitsch aux riverains. Des têtes de mort (de une à cinq) indiquent la teneur en alcool des boissons – gare au Zombie et au Green Gasser !

FREEZONE

☎ 794-2300 ; www.freezonelv.com ; 610 E Naples Dr, près de Paradise Rd ; 24h/24 ; 108

Ce repaire gay ne connaît pas le repos : le mardi est dédié aux dames, avec des go-go girls, le jeudi à leurs homologues masculins, le vendredi et le samedi au cabaret drag avec la soirée "Queens of Las Vegas", tandis que le dimanche et le lundi offrent billard gratuit et karaoké.

GILLEY'S

☎ 894-7111 ; www.gilleyslasvegas.com ; TI (Treasure Island), 3300 Las Vegas Blvd S ; 11h-2h dim-jeu, 11h-4h ven et sam ; Deuce

Le thème western est omniprésent, des danses folkloriques aux cowgirls en bikini chevauchant des taureaux mécaniques. La piste de danse est animée par des groupes

Choix de redoutables breuvages au Carnaval Court

POUR BOIRE UN VERRE

Hostile Grape (M Resort ; ☎ 797-1000, 12300 Las Vegas Blvd S). Un beau choix de vins du monde est accessible en self-service dans la cave du casino.

Isla Tequila Bar (Isla Mexican Kitchen ; p. 115). Fabuleuse sélection d'alcools d'agave. Admirez le cadre luxueux du **Dos Caminos** (Palazzo ; p. 111).

Laguna Champagne Bar (Palazzo ; p. 54). Bar à cocktails circulaire au cœur de l'effervescence du Palazzo. Ses spécialités : *shots* "boom boom", cocktails au champagne et mousseux de marque au verre ou à la bouteille.

Nine Fine Irishmen (New York-New York ; p. 53). Bières irlandaises, whiskies rares et autres alcools, musique traditionnelle et rock celtique, et vue sur le pont de Brooklyn.

Pour 24 (New York-New York ; p. 53). Près de la passerelle piétonne, dégustez toute la nuit des bières artisanales américaines à la pression ou en bouteille.

ou des DJ, et le barbecue concocte des plats du Sud.

GRIFFIN

☎ 382-0577 ; 511 E Fremont St ; 17h-2h lun-sam, 21h-2h dim ; Deuce

Pour échapper aux casinos, cet établissement indépendant, à quelques pas dans le côté obscur de Fremont St, réconcilie amoureux branchés et rebelles autour des cheminées, des bottes en cuir et de l'excellent juke-box.

HOFBRÄUHAUS

☎ 853-2337 ; www.hofbrauhauslasvegas.com ; 4510 Paradise Rd ; 11h-23h dim-jeu, 11h-24h ven et sam ; 108

Réplique fidèle de l'établissement d'origine à Munich, ce bar à bière et *beer garden* de 12 millions de dollars célèbre toute l'année l'Oktoberfest. Au menu : des bières d'importation, de copieux bretzels bavarois, de jolies *fräuleins*, le *gemütlichkeit* (confort, accueil chaleureux) ; groupes allemands le week-end.

HOOKAH LOUNGE

☎ 731-6030 ; www.hookahlounge.com ; 4147 S Maryland Parkway ; 17h-1h ; 109, 202, Ace C-Line

Près du Mediterranean Café de Paymon (p. 123), étendez-vous langoureusement avec un narguilé garni de l'un des 20 excellents tabacs parfumés importés d'Égypte. Les cocktails à la figue sont coûteux pour une adresse hors du Strip, mais l'ambiance vaut le détour.

MANDARIN BAR & TEA LOUNGE

☎ 590-8888 ; www.mandarinoriental.com/lasvegas ; Mandarin Oriental, 3752 Las Vegas Blvd S ; 10h-1h dim-jeu, 10h-2h ven et sam ; Deuce

Perché au 23e niveau, le Sky Lobby est un bar sophistiqué offrant une vue panoramique sur le Strip et servant du thé en journée et des cocktails au champagne le soir. Offrez-vous un thé à l'anglaise après midi ou de minuscules en-cas d'inspiration fusion la nuit venue.

MINUS5 ICE LOUNGE

☎ 740-5800 ; www.minus5experience.com ; Mandalay Place, 3930 Las Vegas Blvd S ; entrée à partir de 25 $, souvent avec 1 boisson ; 11h-3h ; Deuce

Dans une ville réputée pour ses déguisements, ce bar ne démérite pas : vêtu de manteaux et de bonnets, on pénètre dans une petite pièce à -5°C où tout est taillé dans la glace, des sculptures aux verres à cocktail. Photos interdites à l'intérieur.

MIX

☎ 632-9500 ; www.mandalaybay.com ; 64e niv, THEhotel at Mandalay Bay, 3950 Las Vegas Blvd S ; entrée après 22h 20-25 $; 17h-2h dim-jeu, 17h-4h ven et sam ; Deuce

Admirez le coucher du soleil en empruntant gratuitement l'ascenseur jusqu'à ce bar-restaurant dont la vue compte parmi les plus belles de Las Vegas, ou lovez-vous dans les immenses fauteuils en cuir ou au bar à champagne. La terrasse est vertigineuse.

RHUMBAR

☎ 792-7615 ; www.mirage.com ; Mirage, 3400 Las Vegas Blvd S ; 12h-24h dim-jeu, 12h-2h ven et sam ; M Harrah's/Imperial Palace

Mojitos et granité au daiquiri comptent parmi les délices de ce bar et fumoir à cigare d'inspiration caribéenne, proche de l'entrée sud du Mirage. Une agréable brise souffle sur les tables en plein air dans l'élégante terrasse donnant sur le Strip.

TRIPLE 7

☎ 387-1896 ; www.mainstreetcasino.com ; Main Street Station, 200 N Main St ; 24h/24 ; Deuce

Fans de sports et divers joueurs locaux remplissent ce gigantesque bar à bières pour le *Monday Night Football* et aux diverses *happy hours*. Cinq bières artisanales à la pression (y compris parfumées aux fruits) et plats de pub bon marché – le service prend son temps.

CINÉMAS

Horaires et billets chez **Fandango** (☎ 800-326-3264 ; www.fandango.com).

BRENDEN THEATRES & IMAX

☎ 507-4849 ; www.brendentheatres.com ; Palms, 4321 W Flamingo Rd ; adulte/tarif réduit 11/7 $, IMAX 15/12 $; 202 ;

Sorties hollywoodiennes, films indépendants et documentaires, se partagent les écrans de ce complexe en retrait du Strip. Ses atouts : IMAX et Digital Cinema Dolby 3D, et fauteuils de luxe.

REGAL VILLAGE SQUARE 18

221-2283 ; 9400 W Sahara Ave à hauteur de S Fort Apache Rd ; adulte/tarif réduit 11/7 $; 204 ;
Las Vegas ne possède pas vraiment de salle de cinéma d'art et d'essai, mais ce multiplexe assez éloigné du Strip vers l'ouest diffuse parfois des titres intéressants.

WEST WIND LAS VEGAS 5 DRIVE-IN

646-3565 ; 4150 W Carey Ave, est de N Rancho Dr ; adulte/enfant 6,25/1 $; ouverture des portes 1 heure avant le film ;
L'un des derniers drive-in du Nevada est un lieu rétro où voir plus de 5 doubles séances par jour. Appelez vos amis, faites le plein de pop-corn et installez-vous, les pieds sur le tableau de bord…

COMÉDIE ET MAGIE

Des grands noms de la comédie sont régulièrement à l'affiche du Caesars Palace (p. 43), du Flamingo (p. 46), du Golden Nugget (p. 47), du Mandalay Bay (voir l'encadré, p. 151), du Mirage (p. 52), du MGM Grand (encadré, p. 151) et du Venetian (p. 62).

COMEDY STOP

737-2111 ; www.comedystop.com ; Sahara, 2535 Las Vegas Blvd S ; billets 25-40 $; généralement 21h tous les soirs ; M Sahara
Les meilleurs one-man shows se produisent au Sahara (Congo Room), dans cet établissement originaire d'Atlantic City.

THE IMPROV

369-5223 ; www.improv.com ; Harrah's, 3475 Las Vegas Blvd S ; billets 20-45 $; généralement 20h30 et 22h30 mar, jeu et sam ; M Harrah's/Imperial Palace
Chaîne d'origine new-yorkaise (décor en briques rouges oblige) où se produisent des comédiens en vue, souvent passés récemment dans des émissions télévisées.

MAC KING

369-5222 ; www.mackingshow.com ; Harrah's, 3475 Las Vegas Blvd S ; billets 25 $; 13h et 15h mar-sam ; M Harrah's/Imperial Palace ;
Mac et sa tignasse rousse tiennent le haut du pavé des spectacles d'après-midi de magie et de comédie avec ses blagues irrévérencieuses et désinvoltes et ses tours loufoques (il appâte ainsi un poisson rouge vivant avec un biscuit aux figues…).

PENN & TELLER

777-7776 ; www.pennandteller.com ; Rio, 3700 W Flamingo Rd ; billets 75-85 $;

21h sam-jeu ; navette gratuite jusqu'au Strip

Ce couple étrange (l'un parle, l'autre non) crée des illusions depuis plus de deux décennies. Entre humour pince-sans-rire, irrévérence et tours étonnants, ils se distinguent par les explications données au public de certains de leurs tours (pas tous).

VINNIE FAVORITO

733-3333 ; www.flamingolasvegas.com ; Flamingo, 3555 Las Vegas Blvd S ; billets 55-66 $; généralement 20h tlj ; M Flamingo/Caesars Palace

Scandaleux et choquant, Vinnie Favorito est surtout hilarant et n'épargne personne dans son one-man show au Bugsy's Cabaret. Rien n'est tabou, des beaufs aux stars en cure de désintoxication. Les premiers rangs sont souvent pris à parti.

MUSIQUE LIVE

Les grandes salles de la ville (voir l'encadré, p. 151) accueillent les grandes stars en tournée – et les billets partent vite. Pour voir les célèbres spectacles des sosies d'Elvis, consultez www.thedreamking.com.

BUNKHOUSE SALOON

384-4536 ; www.bunkhouselv.com ; 124 S 11th St ; 24h/24 ; 107

Comme l'indique le titre, le thème western et cow-boys est omniprésent, mais ce sont les groupes locaux qui font le véritable attrait du spectacle, entre rockabilly, rock et reggae. Films indépendants et one-man shows sont à l'honneur certains soirs.

LAS VEGAS IDOL

Dino's (382-3894 ; 1516 Las Vegas Blvd S ; Deuce). Bar de Downtown fréquenté par une clientèle d'artistes, de branchés et de bobos, le karaoké est au menu des jeudi, vendredi et samedi soirs (arrosés de Jägerbombs, un cocktail explosif...).
Ellis Island (733-8901 ; 4178 Koval Lane ; 202). Casino hors du Strip avec bières bon marché et karaoké tous les soirs de 21h à 3h.
Harrah's Piano Bar (près de Carnaval Court ; p. 134). All-Star Karaoke Party jusqu'à 21h presque tous les soirs, écrans plasma, avec des impressionnistes et des humoristes.
Karaoke Club (Imperial Palace ; p. 66). Choix de 15 000 chansons et possibilité d'immortaliser sa prestation sur DVD n'importe quel soir de la semaine. Il n'en faut pas beaucoup pour mieux faire que les employés déguisés du casino (p. 78) !

CROWN THEATER

888-727-6966 ; http ://thecrowntheater.com ; Rio, 3700 W Flamingo Rd ; billets à partir de 25 $; horaires variables ; navette gratuite pour le Strip

Assistez au concert de votre groupe préféré : entre reprises, pop, rock, punk ou country, cette salle de 900 sièges est due au même créateur que la Viper Room à Los Angeles. Devo et les Magnetic Zeros se produisent ici.

DOUBLE DOWN SALOON

☎ 791-5775 ; www.doubledownsaloon.com ; 4640 Paradise Rd, entrée près de Swenson St ; 24h/24 ; 108

La spécialité de la maison, un breuvage rouge sang, donne le ton de ce bar punk. L'entrée est gratuite et les boissons (essayez le martini au bacon) se règlent en espèces. Le Bargain DJ Collective est présent le lundi soir et laisse la place à d'autres groupes délirants les autres jours. Billard, flipper, Asteroids et juke-box.

HOUSE OF BLUES

☎ 632-7600 ; www.hob.com ; Mandalay Bay, 3950 Las Vegas Blvd S ; la plupart des billets 20-100 $; horaires variables ; Deuce

Il n'y en a que pour le blues dans cet établissement du delta du Mississippi où des légendes vivantes côtoient des artistes de rock alternatif. Venez tôt : il y a peu de places. La vue est bonne et le salon de tatouage attire une foule jeune.

THE JOINT BY ROGUE

☎ 693-5000 ; www.hardrockhotel.com ; Hard Rock, 4455 Paradise Rd ; la plupart des billets 25-100 $; horaires variables ; 108

Même avec Coldplay ou les Beastie Boys (l'établissement est un bastion de stars du rock), cette salle est si intimiste que croirait assister à un concert privé. L'essentiel des concerts est en fosse, avec des balcons VIP à réserver à l'étage.

THE PEARL

☎ 944-3200 ; www.palmspearl.com ; Palms, 4321 W Flamingo Rd ; la plupart des billets 45-150 $; horaires variables ; 202

Références des groupes de rock, la salle de concert du Palms possède une excellente acoustique et un studio d'enregistrement. Gwen Stefani, Morrissey et d'autres grands noms ont enflammé le public – la plupart des sièges sont à moins de 30 m des stars.

SMOKIN' HOT ACES

☎ 541-8700 ; www.smokinhotaces.com ; Venetian, 3355 Las Vegas Blvd S ; 17h-1h ; M Harrah's/Imperial Palace

Immédiatement à l'extérieur des Grand Canal Shoppes, près du faux pont du Rialto du Venetian, ce bar discret concilie un décor de club de poker, une attitude résolument rock'n'roll et des concerts live. Billard et juke-box contenant 11 000 chansons, à explorer en avalant une bière Pabst Blue Ribbon et des cocktails vermillon de 1,4 litre.

P. Moss

Nouvelliste, joueur et propriétaire de la Frankie's Tiki Room (p. 135)

Parlez-nous de vos clients. Vous avez parfois 10 personnes assises au bar, et il n'y en a pas deux pareilles, entre le type en costume et celui à la crête iroquoise. C'est le genre d'endroit où tout le monde est content. **D'où vous est venue l'idée d'un bar tiki ?** Vegas possède une tradition tiki, d'Aku Aku au Stardust en passant par le Taboo Cove du Venetian. **Qu'est-ce qui fait l'originalité de votre bar ?** Il est traditionnel, mais plein de détails kitsch. Les plus grands sculpteurs tiki au monde, de Bamboo Ben à LeRoy Schmaltz, ont réalisé des pièces uniques pour nous. **Qui est Frankie ?** Ce bar existe depuis les années 1940, soit très longtemps pour Vegas. J'ai gardé le nom, entre préservation et progrès. **Les gens se font des idées fausses sur Vegas, mais quelle est la pire ?** Les gens ne savent pas que Vegas est un emblème de la culture populaire. C'est pour cela qu'il faut des endroits comme Frankie's, pour faire exception à la règle – à toutes les règles.

CLUBS ET DISCOTHÈQUES

Les dames entrent parfois gratuitement avant minuit, surtout en semaine. Appelez au préalable si vous voulez réserver une bouteille (au moins 350 $ pour 3 personnes, minimum de 2 bouteilles par table). Consultez dans le *Las Vegas Weekly* (www.lasvegasweekly.com) le calendrier des événements.

THE BANK

☎ 693-8300 ; www.lightgroup.com ; Bellagio, 3600 Las Vegas Blvd S ; entrée 30-50 $; 22h30-4h jeu-dim ; M Bally's/Paris

Entre rideaux pourpre et chandeliers, le successeur du Light accueille souvent des stars. De luxueuses loges VIP sont disposées sur plusieurs niveaux autour de la piste de danse rythmée aux sons de la pop et du hip-hop. Tenue chic.

FOUNDATION ROOM

☎ 632-7614 ; www.hob.com ; 43e niv, Mandalay Bay, 3950 Las Vegas Blvd S ; 23h-tard ; Deuce

Le club privé de House of Blues' (p. 140) en haut du M-Bay accueille des soirées post-concerts dans un luxueux cadre gothique et de temple indien. Andre Agassi, entre autres stars, y tient salon. DJ et soirées spéciales, tel que **Godspeed** (☎ 632-7631 ; www.myspace.com/godspeedlasvegas). Appelez à l'avance pour vous inscrire sur la liste VIP.

JET

☎ 693-8300 ; www.lightgroup.com ; Mirage, 3400 Las Vegas Blvd S ; entrée 20-40 $; 22h30-4h jeu-sam et lun ; Deuce

Club sophistiqué à triple thème, Jet comptait naguère parmi les adresses les plus en vogue du Strip. Suivez les bougies et gravissez l'escalier menant à la piste de danse, ou glissez-vous dans les salons plus intimistes où dominent la house et le hip-hop. Tenue adéquate requise.

KRÂVE

☎ 290-0436 ; www.kravelasvegas.com ; Miracle Mile Shops, 3663 Las Vegas Blvd S, entrée près d'Harmon Ave ; entrée 10-20 $; 23h-tard mar-dim ; M Bally's/Paris

Le seul club gay du Strip est une adresse glamour où les pectoraux s'exhibent sur les sièges douillets et dans les cabanes VIP, sous le regard des acrobates aériens. Le salon latéral accueille des soirées salsa, gothiques et rose bonbon réservées aux filles. Le samedi soir, la fête se poursuit après 4h du matin.

LAX

☎ 262-4529 ; www.laxthenightclub.com ; Luxor, 3900 Las Vegas Blvd S ; entrée 20-40 $; 22h-4h mer, ven et sam ; Deuce

D'inspiration vaguement gothique, ce night-club dispose de tables VIP, entre deux bars, si proches du podium que l'on se croirait sur une piste d'aéroport. Stars d'Hollywood et mondains tiennent parfois des soirées hautes en couleur.

MOON

☎ 942-6832 ; www.n9negroup.com ; 53e niv, Fantasy Tower, Palms, 4321 W Flamingo Rd ; entrée 20-40 $; 22h-4h mar et jeu-dim ; 202

Reliée au **Playboy Club** (☎ 942-6832 ; 52e niv, Fantasy Tower ; entrée 20-40 $, Moon compris ; 21h-4h) par un ascenseur en verre et miroirs, cette élégante boîte de nuit a un toit qui s'ouvre au-dessus de la piste de danse éclairée au laser. Les briques de verre changent de couleur selon l'ambiance et la musique, entre hip-hop, rock, pop et reprises rétros sous la houlette des DJ. Sortez vos plus beaux atours.

PIRANHA

☎ 791-0100 ; www.piranhalasvegas.net ; 4633 Paradise Rd ; entrée 10-20 $; 22h-tard ; 108

Le club gay le plus sexy de Sin City, avec ses cheminées, ses aquariums et ses cascades, et le luxueux *ultra-lounge* 8½, accueillent d'excentriques soirées à thème : cabarets de drag-queens, événements réservées aux dames et soirées latino.

PURE

☎ 731-7873 ; www.purethenightclub.com ; Caesars Palace, 3570 Las Vegas Blvd S ; entrée 20-40 $; 22h-4h mar et ven-dim ; M Flamingo/Caesars Palace

Animé par de somptueuses DJ, ce club moderne aux tons bleus, blancs et argentés tamisés draine une jeunesse dotée dans un labyrinthe de pièces dignes de Los Angeles, et menant à une magnifique terrasse avec vue sur le Strip. Tenue huppée de rigueur.

ADRESSES MÉCONNUES

> Beauty Bar (p. 134)
> Downtown Cocktail Room (p. 134)
> Drai's (p. 153)
> Fireside Lounge (p. 134)
> Foundation Room (ci-contre)

RAIN

☎ 942-6832 ; www.n9negroup.com ; Palms, 4321 W Flamingo Rd ; entrée 20-40 $; 23h-4h ven et sam ; 202

Dans cette institution où Britney Spears improvisa un jour un concert, la piste de danse en bambou semble flotter sur des fontaines, sur fond de brouillard et d'explosions pyrotechniques. Internationalement connu, le DJ Paul Oakenfold est souvent aux platines le samedi soir.

STONEY'SROCKIN'COUNTRY

☎ 435-2855 ; www.stoneysrockincountry.com ; 9151 Las Vegas Blvd S ; entrée 10 $; 19h-tard jeu-dim ; 117

Le plus grand saloon de Vegas vibre au son de la country et du western, où une foule joyeuse s'essaie au taureau mécanique. DJ ou concerts live tous les week-ends, grande piste de danse et atmosphère tapageuse – l'occasion de chausser ses bottes de cow-boy.

TAO

388-8588 ; www.taolasvegas.com ; Grand Canal Shoppes, Venetian, 3355 Las Vegas Blvd S ; entrée 20-40 $; 22h-5h jeu-sam ; M Harrah's/Imperial Palace

Sur le modèle du club new-yorkais aux accents asiatiques, cette boîte abrite des go-go girls, vêtues de fleurs pudiquement disposées, s'ébrouant dans des bassins ou perchées en position du lotus sur un piédestal au-dessus de la piste de danse, où des Paris Hilton atteignent le nirvana sur fond de hip-hop.

VANITY

693-4000 ; www.vanitylv.com ; Hard Rock, 4455 Paradise Rd ; entrée 20-40 $; 22h-4h jeu-dim ; 108

Boîte de nuit huppée où les salons VIP sont ornés de visages célèbres tandis que les danseurs s'animent sur des rythmes de hip-hop, house et rock autour du chandelier "cyclone" et sur la piste. Les soirées du jeudi et du dimanche attirent les foules. Retouches maquillage gratuites dans les toilettes de dames (laissez un pourboire).

XS

770-0097 ; www.xslasvegas.com ; Encore, 3111 Las Vegas Blvd S ; entrée 20-40 $; 22h-4h ven-lun ; Ace Gold

Banquettes en serpent, sofas en daim, candélabres et ornements dorés composent le décor de ce club luxueux. Installez-vous dans la cabane VIP près du lagon en plein air, où les danseuses plongent parfois pendant les chaudes soirées d'été. DJ sans grand relief. Tenue glamour de rigueur.

SPECTACLES

Les billets pour le Cirque du Soleil et les comédies musicales de Broadway sont les plus convoités. Plus rétros, certaines pièces s'articulent autour d'une intrigue minimale et de chansons et de numéros de danse et de magie. Les spectacles érotiques, entre comédie musicale rock et cabaret vampirique, sont généralement sans intérêt.

CÉLINE DION

731-7110, 877-423-5463 ; www.celineinvegas.com ; Caesars Palace, 3570 Las Vegas Blvd S ; billets 55-250 $; généralement 19h30 mar, mer et ven-dim ; M Flamingo/Caesars Palace

Référence absolue du Colosseum, la chanteuse québécoise a suivi les pas de Bette Midler, Cher ou Elton John. Grand show en hommage à la nostalgie de l'Hollywood d'antan,

Céline reprend tous ses tubes accompagnée d'un orchestre live. Elle devait revenir à Las Vegas en mars 2011 pour une nouvelle série de concerts sur trois ans.

CRAZY HORSE PARIS

☎ 891-7777, 866-740-7711 ; www.mgmgrand.com ; MGM Grand, 3799 Las Vegas Blvd S ; billets 47-57 $; 20h et 22h30 mer-lun ; M MGM Grand
Le plus bohème des spectacles de revue de la ville exhale un charme de maison close on ne peut plus suggestif. Sur scène, les danseuses parisiennes du Crazy Horse Saloon proposent une série de vignettes sur le thème "l'art du nu", ponctuées de scènes en noir et blanc, entre voyeurisme et second degré.

CRISS ANGEL : BELIEVE

☎ 262-4400, 800-557-7428 ; www.cirquedusoleil.com ; Luxor, 3900 Las Vegas Blvd S ; billets 59-160 $; 19h et 21h30 mar-sam ; Deuce
La troupe itinérante québécoise du Cirque du Soleil allie trucages à couper le souffle, imaginaire surréaliste postmoderne et tours de magie avec Criss Angel, star gothique de l'illusion, figurant un lord victorien entouré de plantureuses beautés.

DIVAS LAS VEGAS

☎ 731-3311, 800-351-7400 ; www.imperialpalace.com ; Imperial Palace, 3535 Las Vegas Blvd S ; billets 69-79 $; 22h sam-jeu ; M Harrah's/Imperial Palace
Dans ce spectacle d'imitatrice, Frank Marino (qui faisait une apparition dans *Miss FBI : divinement armée*) incarne une Joan Rivers vacharde et lance des méchancetés avant d'endosser le rôle (essentiellement en play-back) de Diana Ross, Cher ou Liza Minnelli – un talent qui lui a valu plusieurs récompenses.

JUBILEE !

☎ 967-4567, 800-237-7469 ; www.ballyslasvegas.com ; Bally's, 3645 Las Vegas Blvd S ; billets 53-113 $; 19h30 et 22h30 sam-jeu ; M Bally's/Paris
Girls, girls, girls ! Sans ce spectacle, Vegas ne serait plus Vegas. Du début à la fin, c'est une débauche de tenues affriolantes, de strass et de coiffures extravagantes. Les allergiques au kitsch s'abstiendront, les autres adoreront.

KÀ

☎ 796-9999, 877-264-1844 ; http ://ka.com ; MGM Grand, 3799 Las Vegas Blvd S ; billets adulte 69-150 $, enfant 35-75 $; 19h et 21h30 mar-sam ; M MGM Grand ;
Très imagée même si elle est plutôt difficile à comprendre, cette histoire de jumeaux impériaux et de destins mystérieux, ponctuée d'amours et de conflits, est l'un des spectacles du Cirque du Soleil. Au lieu d'une

LA VIE DES DANSEUSES EN COULISSES

Le **Backstage Tour** (☎ 946-4567, 800-237-7469) du Bally explore pendant une heure les coulisses de *Jubilee!* (p. 145), le spectacle de Donn Arden. La visite (15 $, ou 10 $ sur l'achat d'un billet du spectacle), qui offre un aperçu de la vie des danseuses et des choristes à Las Vegas, débute à 11h les lundis, mercredis et samedis.

scène, une série de plates-formes amovibles présentent les différentes scènes, inspirées des arts martiaux. Pour une meilleure vue d'ensemble, choisissez les sièges qui sont à l'arrière.

LE RÊVE

☎ 770-9966, 888-320-7110 ; www.wynnlasvegas.com ; Wynn, 3131 Las Vegas Blvd S ; billets 99-179 $; 19h et 21h30 ven-mar ; Deuce

Les acrobaties des ondins (plongeurs certifiés) font la renommée de ce théâtre abritant un bassin de 3 700 m^3 – même si les connaisseurs n'y voient qu'une pâle réplique du spectacle *O*, du Cirque du Soleil. Attention : les sièges les moins chers peuvent être éclaboussés. Le forfait "Indulgence" comprend du champagne, des fraises au chocolat et des écrans privatifs pour ne rien manquer du spectacle et apercevoir les coulisses.

LEGENDS IN CONCERT

☎ 369-5111 ; www.legendsinconcert.com ; Harrah's, 3475 Las Vegas Blvd S ; billets adulte 59-69 $, enfant 39-49 $; 19h30 et 22h dim-ven ; M Harrah's/Imperial Palace ;

Les plus grands imitateurs de Vegas font la preuve de leur talent sans play-back. Des écrans près de la scène diffusent des concerts des véritables artistes tandis que des danseurs insufflent un air de *Saturday Night Fever*.

LOVE

☎ 792-7777, 800-963-9634 ; www.cirquedusoleil.com ; Mirage, 3400 Las Vegas Blvd S ; billets 94-150 $; 19h et 21h30 jeu-lun ; M Harrah's/Imperial Palace ;

Autre grand succès du Cirque du Soleil, *LOVE* était à l'origine la création de feu George Harrison. Recyclant les maquettes d'Abbey Road, le spectacle allie dans un délire psychédélique l'héritage musical des Beatles, l'énergie des danseurs du Cirque et de fantastiques acrobaties aériennes. La salle panoramique offre une excellente vue quel que soit le siège.

MYSTÈRE

☎ 894-7722, 800-392-1999 ; www.cirquedusoleil.com ; TI (Treasure Island), 3300 Las Vegas Blvd S ; billets adulte 60-109 $, enfant30-55 $; 19h et 21h30 sam-Mer ; Deuce ;

Le Cirque du Soleil est à la scène ce que Dalí était à la peinture. Hommage surréaliste à la vie, le spectacle commence avec deux bébés se frayant un chemin parmi d'étranges créatures. Les vestiges comiques d'un clown distrait composent le décor dans lequel acrobates, funambules et danseurs composent leur chorégraphie. Le moins cher des spectacles du Cirque.

PHANTOM

☎ 414-9000, 866-641-7469 ; www.phantomlasvegas.com ; Venetian, 3355 Las Vegas Blvd S ; billets 69-165 $; 19h lun-sam, 21h30 lun et sam ; M Harrah's/Imperial Palace ;
Ce somptueux théâtre est une réplique de l'opéra de Paris ; c'est en effet dans cet édifice du XIXe siècle que se déroule l'intrigue du *Fantôme de l'Opéra*. Surnommée avec aplomb "The Las Vegas Spectacular", la version proposée sur le Strip comprend de nouveaux effets spéciaux, notamment un lac sur scène au-dessus duquel explosent des feux d'artifice. Le billet VIP comprend une visite des coulisses.

THE RAT PACK IS BACK !

☎ 386-2444 ; www.ratpackisback.com ; Plaza, 1 Main St ; billets 57-88 $; 19h30 tous les soirs ; Deuce
Surfant sur la nostalgie du Rat Pack, le spectacle reprend fidèlement les routines de la troupe, les mêmes chansons, les mêmes plaisanteries de mauvais goût, jusqu'à reproduire la conduite embarassante de Marilyn Monroe. Sinatra ("Ol' Blue Eyes") est convaincant, mais une mention spéciale va à Dino et à l'épatant orchestre. Seul bémol : on préférerait voir quelques jeunes dans le public de sexagénaires.

VIVA ELVIS

☎ 877-253-5847 ; www.cirquedusoleil.com ; Aria, 3730 Las Vegas Blvd S ; billets 99-175 $; 19h et 21h30 ven-mer ; Deuce
Le répertoire du Cirque du Soleil sur le Strip est inépuisable. Comme *LOVE* (voir ci-contre), hommage aux Beatles, *Viva Elvis* est un parcours musical sur les traces du King, rythmé par des tubes légendaires et des chorégraphies inspirées des années 1950, mais sans les acrobaties ni les jeux aériens des autres spectacles. La boutique officielle (p. 98) vend des souvenirs.

SPAS ET SALONS DE BEAUTÉ

Certains spas sont exclusivement réservés aux résidents des hôtels, surtout le week-end. L'accès pour la journée (2 à 45 $) est généralement gratuit si l'on opte pour un soin (100 à 200 $/heure). Nombre d'établissements comptent une salle de gym (prévoyez une tenue et des chaussures de sport) et des salons de beauté complets.

BATHHOUSE

877-632-9636 ; www.mandalaybay.com ; THEhotel at Mandalay Bay, 3950 Las Vegas Blvd S ; 6h-20h ; Deuce

Conçu pour séduire les deux sexes, ce spa d'inspiration asiatique et au décor minimaliste (un chantier de 25 millions de dollars) offre des saunas en séquoia, des hammams à l'eucalyptus et des bains aux herbes ayurvédiques. Parmi les soins bio, des huiles de massage "aromapothecary" sont sélectionnées en fonction de la personnalité de chacun.

CANYON RANCH SPACLUB

414-3600, 877-220-2688 ; www.canyonranch.com ; 4e niv, Grand Canal Shoppes, Venetian, 3377 Las Vegas Blvd S ; 6h-20h, café 7h-14h ; Harrah's/Imperial Palace

Apprécié pour ses soins en couple, cet établissement thérapeutique propose 100 activités (massages des tissus profonds, emmaillotage douillet, escalade en salle…) facturés à la carte. Réductions en milieu de semaine. Le forfait journée donne accès à "Aquavana", ses bains à remous, ses hammams aux herbes, sa grotte de sel, etc.

DRIFT SPA & HAMMAM

944-3219 ; www.palmsplace.com ; Palms Place, 4381 W Flamingo Rd ; 6h-21h ; 202

Ce spa huppé est la recette miracle contre les lendemains de cuite. Après un bain de vapeur dans un hammam traditionnel (maillot obligatoire), alternez piscines chaudes et froides, et flânez dans le jardin où des salles de soins pour les couples sont éclairées le soir par

Comble du bien-être à côté d'un Jacuzzi

des bougies parfumées. Traitement détox et remèdes ayurvédiques disponibles sur demande.

KIM VÕ SALON

☎ 791-7474 ; www.kimvo.com ; Mirage, 3400 Las Vegas Blvd S ; 9h-19h ; M Harrah's/Imperial Palace

Après-shampooing au champagne, boule disco au plafond… À vous la vie de star dans le salon du styliste Kim Võ : vous passerez entre les mains du maître, qui a travaillé avec des athlètes et des présidents des États-Unis.

QUA BATHS & SPA

☎ 731-7776, 866-782-0655 ; www.harrahs.com/qua ; 2e niv, Augustus Tower, Caesars Palace, 3570 Las Vegas Blvd S ; 6h-20h ; M Flamingo/Caesars Palace

Une expérience mondaine vous attend au Qua (p. 22), qui évoque les rituels des bains en vogue dans la Rome antique. Les espaces publics bruissent de potins : salon de thé, bain de vapeur aux herbes, sauna en cèdre et sauna glacé où tombe une pluie de flocons de neige. Un salon de barbier et des téléviseurs grand écran diffusant des matchs accueillent les messieurs.

RED ROCK SPA

☎ 797-7878, 866-363-2872 ; www.redrocklasvegas.com ; Red Rock Casino Resort Spa, 11011 W Charleston Blvd au niveau de l'I-215 ; 6h-19h ; 206

Relativement loin à l'ouest du Strip, ce spa huppé privilégie les traitements holistiques et s'illustre par ses programmes complets avec séance d'escalade guidée dans le Red Rock Canyon (p. 160). Commandez un massage thaï ou un massage avec des galets chauds.

SPORTS

Bien que Vegas ne possède pas d'équipe propre, les habitants sont des inconditionnels du sport. Toutes les rencontres donnent lieu à des paris aux guichets des casinos (p. 39), et presque tous les bars organisent des *Monday Night Football*, notamment la brasserie Triple 7 dans Downtown (p. 137).

Les championnats mondiaux de boxe attirent des fans du monde entier : consultez www.boxinginlasvegas.com pour découvrir les dernières informations, des photos et le programme des rencontres.

Les courses automobiles au Las Vegas Motor Speedway suscitent un immense engouement, surtout pendant le Nascar Weekend en mars. Le grand rodéo de l'année est le Wrangler National Finals Rodeo (p. 133), chaque mois de décembre. Les **UNLV Runnin' Rebels** (☎ 739-3267, 866-388-3267 ; www.unlvtickets.com), équipes de football américain et de basket-ball, jouissent du soutien patriotique des habitants. Avec une sorte d'extra-terrestre pour mascotte, les **Las Vegas 51s** (☎ 386-7200 ; www.lv51.com ; Cashman Field, 850 Las Vegas Blvd N) est une équipe de base-ball de seconde division rattachée aux Blue Jays de Toronto (MLB), et jouent à Vegas de fin avril à août. Affiliés aux NHL Phoenix Coyotes, les **Las Vegas Wranglers** (☎ 471-7825 ; www.lasvegaswranglers.com), équipe de hockey de ligue mineure, investissent l'Orleans Arena d'octobre à avril. Les filles plantureuses du **Sin City Rollergirls** (www.sincityrollergirls.com ; Las Vegas Roller Hockey Center, 800 Karen Ave) forment une redoutable équipe de roller. Avis aux amateurs…

☆ CLUBS DE STRIP-TEASE

Vegas est un Disneyland pour adultes. Si la prostitution est illégale, quantité d'établissements offrent l'illusion du sexe à la demande. Les femmes seules sont mal vues dans la plupart des boîtes de nuit, surtout les soirs d'affluence. Prévoyez des espèces pour les pourboires.

☆ CRAZY HORSE 3

☎ 673-1700 ; www.crazyhorse3.com ; 3525 W Russell Rd ; entrée 30 $; 24h/24 ; 104

GOLF

La Vegas Valley est ponctuée de dizaines de terrains de golf, pour la plupart dans un rayon de 15 km du Strip. La saison bat son plein au printemps et s'interrompt en été. Réductions et réservations de dernière minute auprès de **Las Vegas Preferred Tee Times** (☎ 877-255-7277 ; www.lvptt.com).

Angel Park (☎ 254-4653, 888-446-5358 ; www.angelpark.com ; 100 S Rampart Blvd). Conçus par Arnold Palmer, des parcours de championnat de 18 trous et Cloud Nine, un 12-trous PAR 3 (partiellement éclairé la nuit).

Badlands (☎ 363-0754 ; www.badlandsgc.com ; 9119 Alta Dr). Entre l'herbe et l'impossible topographie, les trois terrains Troon Golf de 9 trous sont réservés aux durs à cuire.

Las Vegas Paiute Golf Resort (☎ 658-1400, 800-711-2833 ; www.lvpaiutegolf.com ; 10325 Nu-Way Kaiv Blvd, près de l'US95). Trois terrains dessinés par Pete Dye dans les Spring Mountains, à l'extérieur de la ville.

Royal Links (☎ 450-8123, 888-427-6678 ; www.royallinksgolfclub.com ; 5995 E Vegas Valley). Le club aux allures de château et abritant un pub mène à un cours de 18 trous inspiré des célèbres greens du British Open. Tiger Woods y a marqué 67 points, un record.

Tournament Players Clubs Las Vegas (TPC ; ☎ 256-2500 ; www.tpc.com/lasvegas ; 9851 Canyon Run Dr). Étape du PGA Tour, les Canyons se composent d'une végétation désertique nécessitant peu d'eau et sont certifiés "Audubon cooperative sanctuary".

LES GRANDS STADES DE CONCERTS ET DE SPORTS

Las Vegas Motor Speedway (☎ 644-4444, 800-644-4444 ; www.lvms.com ; 7000 Las Vegas Blvd N). Nascar, Indy Racing, dragster et courses automobiles (p. 83).
Mandalay Bay Events Center (☎ 632-7580 ; www.mandalaybay.com ; 3950 Las Vegas Blvd S ; Deuce). Boxe, combats libres et concerts de stars.
MGM Grand Garden Arena (☎ 891-7777, 877-880-0880 ; www.mgmgrand.com ; 3799 Las Vegas Blvd S ; M MGM Grand). Boxe, concerts de superstars et spectacles de magie.
Orleans Arena (☎ 284-7777, 888-234-2334 ; www.orleansarena.com ; Orleans, 4500 W Tropicana Ave ; 201). Boxe, hockey, courses et concerts.
Sam Boyd Stadium (☎ 739-3267, 866-388-3267 ; www.unlvbillets.com ; 7000 E Russell Rd). Rencontres de l'équipe de football américain de l'UNLV, courses et concerts.
South Point Events Center (☎ 797-8055 ; www.southpointeventscenter.com ; 9777 Las Vegas Blvd S ; 117). Événements équestres, boxe, courses de moto et spectacles de *monster-trucks*.
Thomas & Mack Center (☎ 739-3267, 866-388-3267 ; www.unlvbillets.com ; campus de l'UNLV, Swenson St et E Tropicana Ave ; 108). Équipes universitaires de basket, boxe, concerts et rodéos.

Course vertigineuse au Las Vegas Motor Speedway

RÉSERVÉ AUX FILLES

Les danseurs du **Chippendales Theater** (☎ 777-7776 ; www.riolasvegas.com ; entrée 40-50 $) au Rio semblent plus préoccupés de leur allure que de leur public, avec leur cabine privative, leur bar à cocktail et leur douillette salle de bains dotée d'un "coin à potins". Rien ne vous empêche de toucher les remarquables créatures de **Thunder Down Under** (☎ 597-7600 ; www.excalibur.com ; entrée 40-50 $), dans l'Excalibur. Dans les Miracle Mile Shops (p. 94) de Planet Hollywood, **American Storm** (☎ 866-932-1818 ; www.vtheaterboxoffice.com ; billets 50-60 $), lauréat du prix de VH1, enlève le bas le week-end.

Fermé temporairement par le FBI et sa brigade "Strippergate", ce légendaire club pour messieurs, où Jenna Jameson, star du cinéma X, a fait ses débuts, a rouvert ses portes près de l'I-15. Ce paradis des plaisirs adultes compte une salle de narguilés, un bar à sushis ouvert toute la nuit et des concerts de rock.

OLYMPIC GARDEN

☎ 385-9361 ; www.ogvegas.com ; 1531 Las Vegas Blvd S ; entrée 30 $; 24h/24 ; Deuce

Sans chichi, OG remporte les suffrages des amateurs de topless… et le sobriquet de "Silicone Valley". Jusqu'à 50 danseuses se produisent en permanence – de quoi satisfaire tous les goûts. Strip-tease pour les dames du mercredi soir au dimanche soir à l'étage.

RICK'S CABARET

☎ 367-4000 ; www.lvscores.com ; 3355 S Procyon St ; entrée 30 $; 24h/24

Scores, célèbre chaîne new-yorkaise de strip-tease vantée par Howard Stern, a laissé place au Rick's Cabaret, réplique miniature du Caesars Palace, fréquenté par des acteurs célèbres et des athlètes professionnels – inutile de les chercher : ils disposent de d'une entrée privative. La carte des cigares est magnifique.

SAPPHIRE

☎ 796-6000 ; www.sapphirelasvegas.com ; 3025 S Industrial Rd ; entrée 30-50 $; 24h/24 ; 213

L'extravagance est le mot d'ordre du "plus grand complexe au monde dédié aux divertissements adultes" : un milliers d'employés, des skybox VIP dominant la salle surplombée par un monumental verre à martini. Soirée muscles au Playgirl Club les vendredis et samedis soirs.

ULTRA-LOUNGES ET ÉTABLISSEMENTS OUVERTS TOUTE LA NUIT

Les salles accueillant des fêtes tardives et des DJ ne manquent pas : mentionnons des boîtes comme Krāve (p. 142).

BLUSH

770-3633 ; www.wynnlasvegas.com ; Wynn, 3131 Las Vegas Blvd S ; entrée 20-30 $; 21h-4h mar-sam ; Ace Gold

Cette longue salle étroite, ornée de lanternes en papier, tissus vaporeux, tables aux chandelles, possède une terrasse à ciel ouvert, un excellent service à la bouteille pour VIP et une petite piste de danse. L'entrée est parfois gratuite avant minuit. Également gratuits, Wynn's Parasol Up et lakeside Parasol Down sont deux autres bars intimistes à proximité.

CATHOUSE

262-4228 ; www.cathouselv.com ; Luxor, 3900 Las Vegas Blvd S ; 1h-18h mer, 22h30-4h jeu-sam ; Deuce

Dans cet *ultra-lounge* tamisé aux allures de maison close parisienne et animé par des DJ, des coquettes en lingerie accueillent les clients. Tenue chic de rigueur.

DRAI'S

737-0555 ; www.drais.net ; Bill's Gamblin' Hall & Saloon, 3595 Las VegasBlvd S ; entrée 20-50 $; 1h-lever du soleil jeu-dim ; Flamingo/Caesars Palace

Semblant tout droit sorti de Hollywood, ce bar ne prend vie que vers 4h du matin, lorsque des DJ mixent des sons novateurs et que les énormes canapés se remplissent d'une foule branchée. Tenue impeccable exigée.

GHOSTBAR

942-6832 ; http ://ghostbar-las-vegas.n9negroup.com ; 55e niv, Palms Tower, Palms, 4321 W Flamingo Rd ; entrée 20-40 $; 20h-3h ; 202

Avec sa vue à 360° et son décor de SF, le bar perché au 55e niveau du Palms mêle adeptes des clubs, stars du hip-hop et athlètes professionnels. La foule de bimbos et d'aspirants rappeurs a peut-être de quoi rebuter, mais la vue est somptueuse. Mettez-vous sur votre trente et un.

GOLD LOUNGE

693-8300 ; www.lightgroup.com ; Aria, 3730 Las Vegas Blvd S ; entrée 20-50 $; 17h-4h ; Deuce

Inspirée de la résidence d'Elvis Presley à Memphis, cette luxueuse boîte de nuit noir et or arbore des sièges en poil de cheval, une lampe équestre suggestive et des cornes de taureau dominant le bar. Les DJ restent aux platines toute la nuit. Tenue branchée requise.

REVOLUTION LOUNGE

693-8300 ; www.thebeatlesrevolutionlounge.com ; Mirage, 3400 Las Vegas Blvd S ; entrée 5-20 $; 22h-4h Mer-lun ; M Harrah's/Imperial Palace

TOUS À L'EAU !

Les extravagantes *pool parties* de Las Vegas battent leur plein pendant l'été. Imaginez Ibiza en plein désert : boîtes en plein air, mannequins en bikinis, DJ aux platines et service VIP. Le tarif d'entrée est salé et les queues interminables : arrivez tôt, surtout le week-end. Nos adresses préférées pour lézarder au bord de la piscine :

Bare (Mirage ; p. 52). Installé sur une chaise longue à l'ombre des palmiers au bord de cette piscine interdite aux enfants, on sirote des jus de fruits frais en grignotant des tapas chaudes.

Ditch Fridays (Palms ; p. 55). Le nom de ce lieu jeune et décontracté, qui signifie "sèche le vendredi", est très évocateur.

Rehab (Hard Rock ; p. 48). Stars de premier plan et fêtards costumés se pressent au bord de l'eau les dimanches de canicule.

Tao Beach (Tao ; p. 144). Prenez le soleil sur des transats ou le frais dans les cabanas ultramodernes, équipées d'iPods et de Xbox.

Wet Republic Ultra Pool (MGM Grand ; p. 51). Au menu : ravissantes baigneuses, DJ et pichets de mojito. Le voiturier gare votre véhicule au pied de la piscine.

Les fans des Beatles tomberont sous le charme de cet *ultra-lounge* créé par le Cirque du Soleil. Les DJ alternent divers styles, entre house, Brit pop, hip-hop et musique du monde fusion, voire rééditions de classiques du rock et de nouvelle vague des années 1980. L'Abbey Road Bar (entrée gratuite) ouvre tous les jours à midi.

>EXCURSIONS

Le stupéfiant Red Rock Canyon (p. 160), à seulement 40 minutes de route du Strip

GRAND CANYON NATIONAL PARK

Le Grand Canyon est la particularité géographique la plus connue des États-Unis. Dépassant 440 km de long pour 1 600 m de profondeur, il offre un spectacle saisissant de strates rocheuses. Après les conquistadors espagnols et les pionniers occidentaux qui n'y virent qu'un obstacle à leur exploration, le canyon attira vers la fin du XIXe siècle des mineurs alléchés par ses ressources naturelles, suivis plus tard par les touristes en quête de paysages romanesques. Lorsque le président Théodore Roosevelt s'y rendit en 1903, il déclara à juste titre : "Vous ne pourrez en rien l'améliorer."

Sculptés par la Colorado River, les sommets, hauteurs et bords du canyon offrent des vues à couper le souffle. La descente à pied ou à dos de mule révèle une grande variété de paysages, d'animaux et de climats. Les plus pressés prendront part à des circuits en avion depuis Las Vegas (comprenant le survol du Hoover Dam et du Lake Mead, et une balade en bus sur le South Rim).

Bien que les deux versants ne soient séparés que de 16 km à vol de condor, il faut parcourir 345 km (5 heures) de routes étroites pour joindre les centres d'accueil du South Rim (versant sud) et du North Rim (versant nord).

Le spectacle éblouissant du Grand Canyon depuis le South Rim à Hopi Point

Les visiteurs préfèrent souvent explorer le parc national depuis le **South Rim**, pris d'assaut entre mai et septembre. Si ce dernier concentre plus de 90% des quatre millions de visiteurs chaque année, le **North Rim**, non loin des parcs nationaux de Zion et de Bryce Canyon, promet une escapade plus mémorable encore par la beauté de ses paysages.

À l'approche du South Rim, **Mather Point**, près du Canyon View Information Plaza, donne une première idée de la majesté du canyon. Dégourdissez-vous les jambes et rejoignez le **Grand Canyon Village**, au nord. Découvrez l'artisanat amérindien dans la **Hopi House**, structure originale dessinée par l'architecte Mary Colter (1869-1958), sirotez un cocktail sur le porche du vénérable **El Tovar Hotel** et admirez les œuvres d'art exposées au **Kolb Studio**. Pour observer le mille-feuille géologique du canyon, rendez-vous à la **Yavapai Observation Station.** La principale attraction demeure bien sûr les versants du canyon, longés au sud par une route panoramique goudronnée de 53 km. Le canyon joue à cache-cache derrière les forêts de pins faux-arolle et ponderosa. Le long de la route, des aires d'arrêt le dominent et arborent des panneaux explicatifs sur l'histoire naturelle. Entre mars et novembre, Hermit Rd à l'ouest du village n'est fréquentée que par les navettes. À l'est, Desert View Dr est ouverte toute l'année aux voitures et croise les vestiges vieux de 800 ans d'un ancien village pueblo, derrière le **Tusayan Museum** d'histoire et de culture amérindienne, et mène à la magnifique **Desert View Watchtower** (tour de guet). Comprenant cinq niveaux, c'est le point culminant du South Rim. Sur le versant nord, des routes rocailleuses pour 4x4 conduisent à des points panoramiques plus éloignés.

Pour fuir la circulation, vous pouvez descendre jusqu'à la Colorado River ou passer la nuit au Phantom Ranch (réservation indispensable). Les promenades en mule et les descentes en rafting se préparent également à l'avance.

RENSEIGNEMENTS

Lieu 440 km à l'est de Las Vegas
S'y rendre Depuis le Strip : pour le South Rim (5 heures), prendre l'I-15 vers le sud, l'I-215 vers l'est, l'US 93 vers le sud, l'I-40 vers l'est, et l'AZ 64 vers le nord jusqu'au Grand Canyon Village ; pour le North Rim (5 heures 30), prendre l'I-15 vers le nord, l'UT 9 à l'est, l'UT 59 au sud, l'AZ 389 au sud, l'US 89 Alt (89-A) vers le sud et l'AZ 67 vers le sud
Contact ☎ 928-638-7888 ; www.nps.gov/grca
Coût forfait 7 jours 25 $/véhicule
Horaires South Rim 24h/24 ; 7j/7, toute l'année ; North Rim mi-mai–mi-oct
Se restaurer South Rim : Arizona Room (☎ 928-638-2631 ; Bright Angel Lodge) ; North Rim : Grand Canyon Lodge Dining Room (☎ 928-638-2611)

HOOVER DAM, LAKE MEAD ET VALLEY OF FIRE

Jadis plus grand barrage au monde, le Hoover Dam est une merveille d'ingénierie. Avec son style Art déco, l'élégant ouvrage en béton offre un contraste saisissant avec le canyon et les eaux bleues miroitantes. Il fut édifié pour contrôler les crues de la Colorado River, qui irrigue des centaines de milliers d'hectares aux États-Unis et la moitié au Mexique.

L'excursion en bus depuis Las Vegas comprend la visite : vous monterez et descendrez 50 étages pour voir les gigantesques générateurs, les salles d'exposition, les déversoirs et le mémorial des Figures ailées de la République.

Après avoir admiré le paysage (attention ! ne faites pas mine par plaisanterie, de sauter par-dessus le garde-corps, car par crainte d'une attaque terroriste, les fausses alertes sont prises *très* au sérieux), rebroussez chemin sur quelques kilomètres jusqu'à la **Lake Mead National Recreation Area** (☎ 702-293-8990 ; www.nps.gov/lame ; 5 $/voiture ; 24h/24), où une route littorale longe sentiers de randonnée, plages, marinas et points d'observation des oiseaux jusqu'au **Lost City Museum** (☎ 702-397-2193 ; http ://museums.nevadaculture.org ; 721 S Moapa Valley Blvd ; adulte/enfant 5 $/gratuit ; 8h30-16h30 jeu-dim) d'Overton. Ce musée de la culture amérindienne se trouve au nord de l'embranchement vers le **Valley of Fire State Park** (☎ 702-397-2088 ; http ://parks.nv.gov/vf.htm ; 10 $/voiture ; 24h/24), désert caractéristique du Sud-Ouest parsemé de roches en grès sculptées par le vent et l'eau (**Atlatl Rock** porte des pétroglyphes amérindiens). Rentrez par **White Domes**, **Rainbow Vista** et faites un détour par le **Fire Canyon** et le **Silica Dome** (où meurt le capitaine Kirk dans *Star Trek*).

RENSEIGNEMENTS

Lieu 50 km au sud-est de Las Vegas
S'y rendre Depuis le Strip (45 min) : I-15 au sud, I-215 à l'est, I-515/US 93 et 95 ; emprunter l'US 93 vers l'est jusqu'à Boulder City
Contact ☎ 702-494-2517 ; www.usbr.gov/lc/hooverdam
Coût Visite du Hoover Dam à partir de 11/9 $, parking 7 $
Horaires Centre d'accueil du Hoover Dam 9h-17h (18h en été), dernier billet 45 min avant la fermeture ; centres d'accueil du Lake Mead et de la Valley of Fire 8h30-16h30

Le vertigineux Hoover Dam

RED ROCK CANYON

S'étendant sur 335 km², la Red Rock Canyon National Conservation Area (photographie ci-contre) est incontournable mais souvent ignorée des visiteurs. La splendeur naturelle du canyon ne saurait offrir un meilleur antidote aux néons du Strip.

Apparu il y a environ 65 millions d'années, le canyon ressemble davantage à une vallée, surplombée par une paroi abrupte se dressant 900 m au-dessus du versant ouest. Une **route accompagnée d'une piste cyclable** décrit une boucle de 21 km, longeant les curiosités les plus étonnantes et des points de vue panoramiques. Des sentiers de randonnée mènent à des cascades saisonnières. Les amateurs d'escalade seront séduits par les **Calico Hills** et les marcheurs par l'aire de pique-nique de **Willow Springs**. Pour jouer aux cow-boys, réservez auprès de **Cowboy Trail Rides** (☎ 702-387-2457 ; www.cowboytrailrides.com).

Avant le Red Rock Canyon, dans la ville poussiéreuse de Blue Diamond, **McGhie's Bike Outpost** (☎ 702-875-4820 ; http ://mcghies.com ; 16 Cottonwood #B ; 🕑 appeler pour les horaires), loue des vélos (40 à 65 $/jour), des circuits autour du Red Rock Canyon et des indications pour parcourir plus de 200 km de sentiers vers les Cottonwood Valley et Black Velvet. Au nord, la NV 159 mène au **Spring Mountain Ranch State Park** (☎ 702-875-4141 ; http ://parks.nv.gov/smr.htm ; 9 $/voiture ; 🕑 8h-coucher du soleil, centre d'accueil 10h-16h), ancienne propriété de l'excentrique milliardaire Howard Hughes. Au programme : marches, visites du ranch et expositions historiques. Non loin, les **Bonnie Springs** (☎ 702-875-4191 ; www.bonniesprings.com ; 1 Gunfighter Lane ; 20 $/voiture ; 🕑 10h30-18h mer-dim, horaires réduits en hiver), décor d'innombrables films de série B, sont appréciés des enfants.

RENSEIGNEMENTS

Lieu 40 km à l'ouest de Las Vegas
S'y rendre 🚗 Depuis le Strip (40 min) : I-15 vers le sud jusqu'à Blue Diamond Rd (NV 160), puis à l'ouest jusqu'à la NV 159
Contact ☎ 702-515-5350 ; www.blm.gov
Coût voiture/vélo 7/3 $
Horaires Centre d'accueil 🕑 8h-16h30, boucle panoramique 🕑 7h-19h mars, 6h-20h avr-sept, 6h-19h oct, 6h-17h nov-fév
Se restaurer Hash House A Go Go (p. 126), LBS Burger Joint (p. 126)

CIRCUITS

Un transport gratuit depuis/vers les hôtels du Strip est compris dans la plupart des circuits ; des réductions sont proposées en ligne. Le survol du Grand Canyon coûte à partir de 125 $/pers (1 heure), une journée vol/route (incluant la Skywalk) à 230 $, et les principales excursions en hélicoptère avec atterrissage au fond du canyon à 315 $. Pour les circuits en ville, voir p. 194.

Adventure Las Vegas (☎ 888-867-6259 ; www.adventurelasvegas.com ; circuits 119-355 $; réservations 24h/24). Cette référence des circuits aventure organise différentes excursions à cheval au coucher du soleil, en kayak sur le Lake Mead, en VTT dans le désert, etc.

Black Canyon River Adventures (☎ 294-1414, 800-455-3490 ; www.blackcanyon adventures.com ; Hacienda Hotel & Casino, US 93, Boulder City ; circuits à partir de 86/54 $). Descente de la Colorado River en canot à moteur (3 heures) depuis la base au Hoover Dam.

Boulder City Outfitters (☎ 293-1190, 800-748-3702 ; http ://bouldercityoutfitters.com ; 111 Veterans Memorial Dr, Boulder City ; marche avec guide/circuit en kayak 100/150 $, location de canoë ou kayak 35-75 $/j, navette 10-50 $). Circuits guidés en kayak (2 pers minimum) depuis le Hoover Dam avec haltes près de sources chaudes et cascades. Une navette est proposée aux pagayeurs individuels.

Escape Adventures (☎ 596-2953, 800-596-2953 ; www.escapeadventures.com ; journée/week-end à partir de 100/499 $). Fuyez la jungle urbaine pour une exploration à VTT, vélo, randonnée ou multisports du Red Rock Canyon ou des parcs nationaux.

Gray Line (☎ 384-1234, 800-634-6579 ; www.graylinelasvegas.com ; circuits 55-159 $). Ce spécialiste réputé des excursions en bus propose diverses formules autour du Hoover Dam et du Grand Canyon, des descentes de la Colorado River et des croisières sur le Lake Mead.

Papillon Grand Canyon Helicopters (☎ 736-7243, 888-635-7272 ; www.papillon.com ; McCarran Executive Terminal, 275 E Tropicana Ave ; circuit bus/hélicoptère à partir de 79/175 $). Survol en hélicoptère du Grand Canyon par un spécialiste historique basé à Vegas ; le circuit en car pour le South Rim font halte au Hoover Dam.

Pink Jeep Tours (☎ 895-6777, 888-900-4480 ; www.pinkjeeplasvegas.com ; 3629 W Hacienda Ave ; excursion demi-journée 89-129 $, journée 135-359 $). Hoover Dam, Red Rock Canyon, Valley of Fire, Mt Charleston, Death Valley, Zion National Park et le North Rim ou la Skywalk du Grand Canyon en petits groupes.

>ZOOM SUR…

Surnommée Sin City (la "Ville du péché"), la capitale mondiale du jeu recèle néanmoins bien d'autres centres d'intérêt que le poker et les machines à sous. Oasis postmoderne perdue dans le désert, Las Vegas a bien des visages, que vous découvrirez dans ce petit guide thématique.

Entre deux parties de poker, détendez-vous sur une gondole vénitienne (p. 84)

LAS VEGAS CHEAP ET KITSCH

Elvis et Liberace ne sont plus de ce monde, Siegfried, Roy et leurs tigres blancs ont quitté le Strip, mais Las Vegas n'a rien perdu de son extravagance – les curiosités kitsch ne manquent pas, souvent accessibles sans bourse délier.

Certains déplorent que le mauvais goût et la démesure soient la marque de fabrique de Las Vegas, mais cela ne participe-t-il pas du charme de la ville, où se côtoient les attractions les plus désuètes et les établissements les plus luxueux ?

Même si vous avez dépensé vos derniers sous, ne vous découragez pas. Les spectaculaires superproductions des casinos (p. 80) sont gratuites et les boissons et repas à des prix dérisoires. Saviez-vous que l'alcool est servi gracieusement même aux joueurs des machines à sous "Penny Alley" ?

Jour et nuit, le Strip est une galerie de visions loufoques. Admirez l'éruption du faux volcan polynésien au Mirage (p. 80), les sensuelles *Sirens of Treasure Island* batifolant dans une parodie de bataille de pirates (p. 81) et les sosies de Marilyn Monroe et d'Elvis à l'Imperial Palace (p. 78).

Vestiges des années 1950 et 1960, quelques hôtels-casinos ont survécu à l'extrémité nord du Strip. Circus Circus (p. 44) remporte la palme du casino aux couleurs les plus criardes. Prenez un *fun book* (chéquier de bons de réduction) au Slots A' Fun (p. 79) voisin, désopilant de mauvais goût. De l'autre côté de la rue, offrez-vous une boisson tropicale dans la lumière tape-à-l'œil du Fireside Lounge (p. 134), annexe du café du casino Peppermill ouvert 24h/24. Paré pour une dernière virée sans vous ruiner ? La Fremont Street Experience (p. 80) est votre prochaine destination.

Pour finir, ne partez pas sans rendre hommage à Liberace, génie tutélaire du kitsch flamboyant, dans son musée en retrait du Strip (p. 78), où des fans coiffées de chapeau rouge entretiennent son souvenir avec dévotion.

LES SOUVENIRS LES PLUS KITSCH

- Un nécessaire de jeu chez Gamblers General Store (p. 98)
- Des verres à cocktail à thème (une tour Eiffel en plastique de Paris Las Vegas, une chope colorée en forme de danseuse de chez Bally's…)
- Un Elvis en carton de chez Bonanza Gifts (p. 98)
- Un string, des bottes en cuir ou des jouets érotiques d'une boutique de gadgets coquins (p. 90)
- Un boa de danseuse acheté chez un spécialiste : Rainbow Feather Dyeing Co (p. 99)

LES ATTRACTIONS LES PLUS RINGARDES

- Circus Circus Midway (p. 80)
- Fremont Street Experience (p. 80)
- Haunted Vegas Tours (p. 194)
- Liberace Museum (p. 78)
- Viva Las Vegas Weddings (p. 85)

En haut à gauche Bonanza Gifts, une référence pour les collectionneurs de boules à neige (p. 98) **Ci-dessus** Chez Gamblers General Store, un dé pour toutes les occasions (p. 98)

LAS VEGAS ROMANTIQUE

Las Vegas exerce sur les amoureux un charme mystérieux : un couple s'y marie toutes les 5 minutes. Depuis Elvis Presley et Priscilla Beaulieu, Sammy Davis Jr et le mannequin suédois May Britt, Andre Agassi et Steffi Graf, des myriades de stars ont choisi la "Ville du péché" pour échanger leurs vœux. Pourquoi pas vous ? Après tout, 50% des mariages tiennent "jusqu'à ce que la mort sépare le couple" – soit une bien meilleure chance de succès que de gagner le pactole à la table de poker ! (Et rien ne vous empêche de fêter copieusement l'événement avant la cérémonie…)

Les fiancés ont l'embarras du choix quant au lieu où se jurer fidélité : certains convolent en gondole (p. 84) au Venetian, d'autres au sommet de la tour Eiffel (p. 82) à Paris Las Vegas. Vous pouvez louer les services d'Elvis pour roucouler *Blue Hawaii*, ou vous habiller en Marilyn Monroe, voire vous marier après avoir atterri en hélicoptère au fond du Grand Canyon (p. 84).

En toute honnêteté, plus l'on visite de chapelles nuptiales (p. 84), moins l'on est enclin à y organiser le plus beau jour de sa vie. Ornés de fleurs en plastique, de faux vitraux et de bancs de maison de poupée, quantité d'établissements sont très cucul. En outre, les mariages y sont prononcés à la chaîne au rythme de dizaines par jour. Comptez au moins 99 $ pour une cérémonie rudimentaire et l'arrivée à la chapelle dans une limousine tape-à-l'œil.

Avant de choisir votre chapelle, présentez-vous au **Marriage Bureau** (☎ 671-0600 ; www.accessclarkcounty.com/depts/clerk/Pages/marriage_information.aspx ; 201 E Clark Ave ; 🕓 8h-24h) de Clark County pour obtenir un certificat (60 à 65 $).

Avant de partir, les visiteurs venus de l'étranger se renseigneront sur les documents nécessaires à la reconnaissance du titre de mariage.

Les chapelles nuptiales de Vegas font le plein à la Saint-Valentin et autour du Nouvel An – Il est alors nécessaire de solliciter un certificat en ligne jusqu'à un an à l'avance. Réservez votre chapelle dès que possible. Sinon, des cérémonies civiles sont célébrées tous les jours de 8h à 22h.

Toutefois, Sin City n'est pas réservée qu'aux candidats à la vie matrimoniale. Embrassez-vous au-dessus d'un martini géant au sommet de la Stratosphere Tower (p. 132), enlacez-vous devant les fontaines dansantes du Bellagio (p. 80) ou passez un week-end langoureux dans une suite luxueuse (p. 26), avec champagne, chocolats et gadgets coquins pour pimenter votre nuit.

Les plus aventureux ne manqueront pas l'occasion d'explorer le côté obscur de Vegas : clubs de strip-tease (p. 150) et sex-shops (p. 90) ne sont qu'à quelques minutes de taxi du Strip, tandis que des spectacles de cabaret, go-go dancers et autres danseuses sont proposés dans de nombreux hôtels-casinos.

LES MEILLEURS LIEUX OÙ S'EMBRASSER

> Downtown Cocktail Room (p. 134)
> Fireside Lounge (p. 134)
> Mandarin Bar & Tea Lounge (centre-ville ; p. 136)
> Mix (p. 137)
> Vegas Wedding Chapel (p. 85)

LES RESTAURANTS FRANÇAIS LES PLUS ROMANTIQUES

> Alizé (p. 125)
> Joël Robuchon (p. 108)
> Mon Ami Gabi (p. 113)
> Restaurant Guy Savoy (p. 104)
> Twist by Pierre Gagnaire (p. 105)

En haut à gauche Fireside Lounge, pour les tourtereaux (p. 134) **Ci-dessus** Luxe intimiste chez Joël Robuchon (p. 108)

MUSÉES ET GALERIES D'ART

Si l'art imite la vie, Las Vegas est certainement un chef-d'œuvre : on y rencontre en effet des copies du monde entier, entre la tour Eiffel miniature, les faux châteaux médiévaux et les statues grecques, italiennes et égyptiennes empruntées aux maîtres anciens. Des expositions de premier ordre sont présentées dans la Bellagio Gallery of Fine Art (p. 74) et les galeries de Downtown (p. 74), en particulier dans le 18b Arts District, réunissent des œuvres d'artistes locaux, surtout les premiers vendredis du mois (p. 14).

Mais le véritable emblème de Las Vegas reste le tube fluorescent au néon (24 000 km dans la ville). La visite nocturne débute au panneau "Welcome to Fabulous Las Vegas Nevada" (p. 81) et se poursuit devant les casinos du Strip et le Glitter Gulch (Downtown), en passant par le Neon Museum (p. 76).

Les concerts (p. 139) sont toujours l'apanage des casinos, comme dans les années 1950 et le début des années 1960, lorsque Frank Sinatra et son Rat Pack chauffaient les salles. Certains groupes alternatifs locaux ont percé sur la scène nationale, comme les Killers et Panic! At the Disco. Découvrez les nouveaux talents dans le quartier de Fremont East, au Beauty Bar (p. 134).

Hollywood courtise Las Vegas, qui n'est qu'à une demi-journée de route de Los Angeles. Provisoirement mis à l'arrêt, CineVegas (p. 132) se taille néanmoins une place de choix dans les festivals de cinéma indépendant. Des films tournés à Vegas sont indiqués p. 185.

LES MEILLEURES GALERIES D'ART

> Bellagio Gallery of Fine Art (p. 74)
> Brett Wesley Gallery (voir p. 74)
> Commerce Street Studios (p. 76)
> Contemporary Arts Center (Arts Factory ; p. 74)
> Neon Museum (p. 76)

LES CASINOS À THÈME LES PLUS IMPRESSIONNANTS

> Caesars Palace (p. 43)
> Luxor (p. 49)
> New York-New York (p. 53)
> Paris Las Vegas (p. 56)
> Venetian (p. 62 ; photo ci-dessus)

BUFFETS

Quelques conseils d'un vétéran des buffets de Vegas. Tout d'abord, abstenez-vous de manger aussi longtemps que possible avant d'attaquer le buffet, et ne prévoyez pas de repas après. Le petit-déjeuner, le déjeuner et surtout le brunch du week-end sont de meilleures affaires que le dîner, sauf si des plats spéciaux sont au menu, comme un steak ou des fruits de mer frais.

En règle générale, plus l'hôtel-casino est cher, meilleure est la qualité. Le Wynn (p. 117), le Bellagio (p. 102), Planet Hollywood (p. 114), Paris Las Vegas (p. 113), le M Resort (p. 125) et le Palms Place (p. 55) se disputent le prix du meilleur buffet. Réservés aux gloutons les plus impénitents, certains hôtels-casinos proposent un forfait illimité toute la journée (à partir de 30 $).

Une fois arrivé devant les plats, la règle d'or veut que l'on prenne un florilège de minuscules portions avant de choisir son plat favori… et de s'en goinfrer. Ainsi, pas la peine de terminer une assiette remplie de sushis sans saveurs si un chef concocte des crêpes fraîches ou découpe un appétissant rôti à quelques tables de vous. N'oubliez pas de garder un peu de place pour la ronde de desserts miniatures, des îles flottantes aux meringues au caramel ou aux glaces maison.

Enfin, laissez au moins un dollar ou deux par convive aux serveurs chargés de nettoyer les montagnes d'assiettes que vous laissez derrière vous…

Faites le plein de spécialités internationales au Spice Market Buffet (p. 114)

LAS VEGAS GAY ET LESBIEN

Surnommé Fruit Loop, l'épicentre de la vie nocturne gay de Sin City se trouve à environ 1,5 km à l'est du Strip, dans Paradise Rd, au sud de Harmon Ave et de l'hôtel-casino Hard Rock. La plupart des bars, clubs et salles de spectacles de travestis s'adressent essentiellement aux hommes, mais organisent des soirées réservées aux femmes. Des adresses plus discrètes entourent le Commercial Center, à l'est du Strip dans Sahara Ave. Krāve (p. 142), un immense club, est la seule boîte de nuit résolument homo du Strip.

La **Las Vegas Pride** (www.lasvegaspride.org) en mai, et les **rodéos gays** (www.ngra.com) comptent parmi les grands événements annuels. Pour ne rien manquer de l'actualité, **QVegas** (www.qvegas.com) permet de télécharger le magazine mensuel, distribué gratuitement chez **Get Booked** (☎ 737-7780 ; www.getbooked.com ; 4640 S Paradise Rd ; ⏲ 10h-24h dim-jeu, 10h-2h ven et sam). Deux sites communautaires : www.outinlasvegas.com et www.gayvegastravel.com. Les **Betty's Outrageous Adventures** (www.bettysout.com) sont des sorties entre lesbiennes.

Malgré sa réputation de paradis des fêtards, la ville vote en majorité conservateur. Les démonstrations publiques d'affection entre personnes du même sexe sont rares et mal vues. Le mariage gay n'est pas reconnu par l'État du Nevada, contrairement à l'union civile.

LES MEILLEURES ADRESSES NOCTURNES LGBT (LESBIENNES, GAYS, BISEXUELS ET TRANSGENRES)

> FreeZone (p. 135 ; photo ci-dessus)
> Krāve (p. 142)
> Piranha (p. 143)

LES ANIMATIONS PRÉFÉRÉES DU PUBLIC GAY

> N'importe quel spectacle du Cirque du Soleil (p. 144)
> Céline Dion (p. 144)
> Divas Las Vegas (p. 145)
> Backstage Tour du *Jubilee!* (p. 146)
> Liberace Museum (p. 78)

LAS VEGAS ÉCOLOGIQUE

Las Vegas ("les prairies" en espagnol) s'étend en bordure de l'immense désert de Mojave. Entouré du Great Basin aride, cette ville plate occupe une vallée en forme de cuvette encadrée de chaînes de montagnes. La population de la ville dépasse déjà un demi-million d'habitants ; en comptant les banlieues et les bourgades autonomes, la population totale métropolitaine avoisinera bientôt les deux millions, soit plus de deux fois ce qu'elle était il y a 15 ans. Or, on dénombre 20 visiteurs pour un habitant.

Las Vegas étant une zone artificielle aménagée au milieu du désert, comment s'étonner de ce que la vallée pourrait épuiser l'intégralité de son approvisionnement en eau d'ici 2021 ? La pollution atmosphérique pose également problème. Le ciel au-dessus du Strip est parfois si sale que la brume dissimule les montagnes. (Pour en savoir plus sur les problèmes environnementaux, voir p. 182.)

L'espoir est cependant permis : complexe pédagogique respectueux de l'environnement, la Springs Preserve (p. 24 et p. 76) offre une bouffée d'air frais – à tous les sens du terme. Si les autres espaces verts sont rares dans l'enceinte de la ville, quelques hôtels-casinos possèdent des jardins (p. 77) pour échapper aux salles de jeux enfumées. Dans le Strip, privilégiez le monorail (p. 193), un moyen de transport sans émissions polluantes. Dans les environs, le Grand Canyon (p. 156), le Red Rock Canyon (p. 160), le Lake Mead et la Valley of Fire (p. 158) raviront les amateurs de nature.

La Springs Preserve, grand succès écologique (p. 24 et p. 76)

LAS VEGAS POUR LES ENFANTS

C'est avec une certaine réticence que Las Vegas se présente comme destination familiale. L'âge légal de jeu étant de 21 ans, de nombreux hôtels-casinos et complexes touristiques ne sont pas adaptés aux enfants. Certains hôtels-casinos haut de gamme refusent même les poussettes. La loi du Nevada interdit aux mineurs de circuler dans les salles de jeux.

Néanmoins, Las Vegas abonde en attractions et activités familiales. La plupart des casinos possèdent des galeries d'amusants jeux et vidéos, comme au New York-New York, où des montagnes russes surgissent du Coney Island Emporium (p. 81), et à l'Adventuredome de Circus Circus (p. 81). Les ados s'offriront une montée d'adrénaline au sommet de la Stratosphere Tower (p. 83) et au Pole Position Raceway (p. 82). Certains spectacles du Strip (notamment de magie) plaisent beaucoup aux enfants, qui pourront même monter leur propre spectacle au Houdini's Magic Shop (p. 97). Une expérience pédagogique vous attend à la Springs Preserve (p. 24). Au Mandalay Bay, l'aquarium Shark Reef (p. 78 ; photo ci-dessous) et les lions du MGM Grand (p. 77) sont intéressants, de même que le très rétro West Wind Las Vegas 5 Drive-In (p. 138). À proximité de la ville, le Grand Canyon (p. 156) est une excursion inoubliable. Consultez www.kidsinvegas.com pour des détails.

LES MEILLEURS SPECTACLES POUR LES PETITS

- > *Kà* (p. 145)
- > *LOVE* (p. 147)
- > Mac King (p. 138)
- > *Mystère* (p. 146)
- > *Phantom* (p. 147)

LES TABLES FAMILIALES

- > BLT Burger (p. 109)
- > Canter's Deli (p. 115)
- > Luv-It Frozen Custard (p. 120)
- > Metro Pizza (p. 123)
- > Village Eateries (p. 110)

TEXAS HOLD'EM

Il y a une dizaine d'années, les visiteurs peinaient à trouver une table de poker. De nombreux casinos, sur la foi d'études de rentabilité élaborés par des spécialistes, remplaçaient leurs tapis verts par des machines à sous à gros montants. Une décennie plus tard, il est toujours aussi difficile de trouver une place à une table de jeu, mais pour une toute autre raison : le poker est la nouvelle lubie de Vegas.

Si vous faites partie de ceux qui ont déjà joué au poker "fermé", avec les deux, trois, les valets, le roi de cœur et la reine de cœur comme jokers, vous serez déçus. Texas Hold'em (littéralement, "Texas, garde-les") est la variante la plus courante, quoique pas la seule, pratiquée à Vegas. Facile à apprendre, le jeu est singulièrement difficile à maîtriser, et la psychologie joue un grand rôle.

Les règles sont simples. Chaque joueur reçoit deux cartes cachées constituant sa main (*hole cards*). Après un tour d'enchères, trois autres cartes (le *flop*) sont placées, face visible, au centre de la table. Ces cartes sont communes à tous les joueurs encore en lice. Après un autre tour d'enchères, une quatrième carte commune (le *turn*) est distribuée, et ainsi de suite jusqu'à la cinquième et dernière (la *river*, très attendue). Après un autre tour d'enchères, les joueurs restants abattent leurs *hole cards*. Celui qui a la meilleure main (en combinant ses *hole cards* avec trois des cinq cartes communes) l'emporte.

LES SALLES DE POKER LES PLUS RÉPUTÉES

> Binion's (p. 64)
> Golden Nugget (p. 47)
> MGM Grand (p. 51)
> Venetian (p. 62)
> Wynn (p. 63)

LES MEILLEURS LIVRES SUR LE POKER

> *Texas Hold'em Poker. Jouez et gagnez !* (Paul Mendelson, Hachette, 2007)
> *Poker - Les méthodes pour gagner* (Jérôme Schmidt, J'ai Lu, 2007)
> *Le Grand Livre du poker* (Trevor Sippets, Hachette, 2007)
> *Tout ce que les femmes ont toujours voulu savoir sur le poker...* (Eliza Burnett, Tana, 2008)
> *Poker : 25 portraits de champions* (Georges Djen, Solar, 2007)

VEGAS NOSTALGIQUE

Éprise de nouveauté et prompte à détruire pour mieux reconstruire, Vegas fait peu de cas de son histoire : des vestiges sont ainsi quotidiennement perdus, rasés, dynamités et détruits. Si vous vous intéressez au passé de la ville, mieux vaut ne pas perdre de temps…

Le panneau "Welcome to Fabulous Las Vegas Nevada" (voir encadré, p. 81) au sud du Strip est sans doute l'une des images les plus emblématiques de Vegas, avec le Flamingo (p. 46), icône glamour des années 1940, ambitieux hôtel-casino construit par Bugsy. Ne manquez pas les photos de stars de cinéma et de gangsters d'antan dissimulées par le stand du voiturier. Au Bally's, le spectacle *Jubilee!* (p. 145) est précédé par une visite des coulisses guidée par une danseuse ou un choriste (p. 146). À l'est du Strip, le Liberace Museum (p. 78) renferme des costumes rétro tout aussi excentriques.

Les fans d'Elvis reconnaîtront ses sosies parmi les croupiers de l'Imperial Palace (p. 78) et croiseront une foule de King flânant sur Las Vegas Blvd, autour des casinos à l'ancienne comme le Sahara (p. 59) et des chapelles nuptiales (p. 84), ou près de Fremont Street Experience (p. 80) à Downtown, cœur du quartier historique de Glitter Gulch (p. 19). Là, l'hôtel-casino Golden Gate (p. 65) invite au péché depuis 1906. D'autres établissements comme le Golden Nugget (p. 47) dégagent aussi un parfum capiteux de glamour des années 1950. Vous pourrez disputer une partie de poker sans montant maximum, comme au bon vieux temps, avec des cow-boys dans l'arrière-salle du très culte Binion's (p. 64). Fremont St est le lieu idéal où admirer des néons anciens somptueusement restaurés grâce au travail du Neon Museum (p. 76).

Cédez à l'ambiance nostalgique du Sahara (p. 59)

>HIER ET AUJOURD'HUI

Découvrez l'étonnant Paris Las Vegas (p. 56)

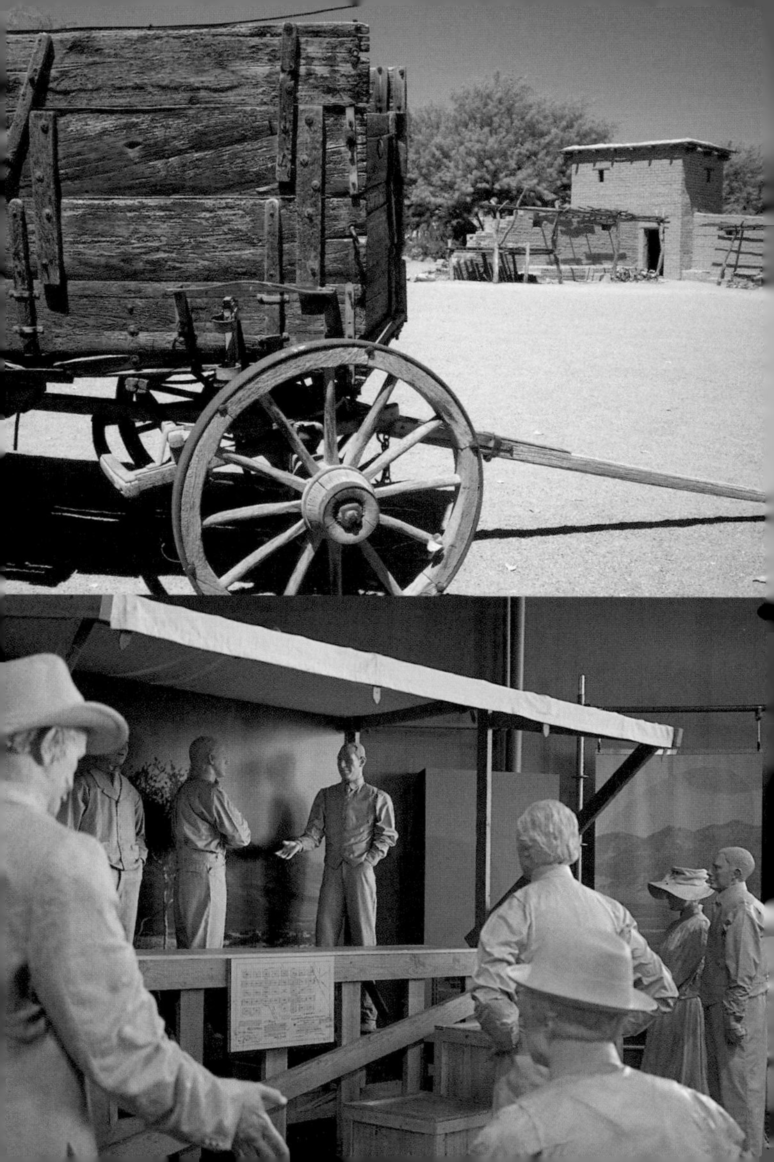

HIER ET AUJOURD'HUI

HISTOIRE

"Quelle histoire ?" est-on tenté de se demander. Contrairement au reste du Sud-Ouest américain, où les vestiges abondent, Las Vegas n'a pratiquement rien conservé de son passé. Tribus amérindiennes de langue uto-aztèque, les Paiutes du Sud peuplèrent la Las Vegas Valley pendant plus de mille ans avant que le Spanish Trail (route qui reliait le Nouveau-Mexique à la Californie) ne traverse cette région reculée, dernière du pays à être découverte par les Européens.

À en croire la légende hollywoodienne, Las Vegas n'était qu'un carrefour désolé dans le désert de Mojave, guère plus qu'une poignée de maisons de jeux délabrées, des boules d'herbes sèches et des cactus écrasés de chaleur, lorsque le gangster Benjamin "Bugsy" Siegel bâtit son hôtel-casino : le Flamingo. Or, rien n'est plus faux.

ABOLIR LES FRONTIÈRES

En 1829, Rafael Rivera, éclaireur d'une expédition commerciale mexicaine, fut sans doute le premier étranger à découvrir les sources naturelles de la Las Vegas Valley. Parcourant également le Spanish Trail, John C. Fremont, officier de l'armée américaine, vint en 1844 explorer et cartographier la région. Parmi les légions de mineurs qui s'installèrent au milieu du XIXe siècle, un groupe d'hommes était déterminé à accomplir l'œuvre de Dieu en pays indien : ces mormons étaient envoyés de Salt Lake City par le président de leur Église Brigham Young pour coloniser la région de Deseret, patrie spirituelle de la communauté qu'il dirigeait. Leur fort ne dura que deux ans. Après la guerre de Sécession, petites fermes et ranchs se multiplièrent dans la vallée.

SITES INTERNET POUR EXPLORER LE PASSÉ DE VEGAS

- Classic Las Vegas (www.classiclasvegas.com)
- The First 100 (www.1st100.com)
- Las Vegas : An Unconventional History (www.pbs.org/wgbh/amex/lasvegas)
- Las Vegas Sun : History (www.lasvegassun.com/history)
- Collections spéciales de l'UNLV (University of Nevada ; www.library.unlv.edu/speccol)

En haut à gauche Remonter le temps à l'Old Las Vegas Mormon Fort State Historic Park, au nord de Downtown
En bas à gauche Une leçon d'histoire à la Springs Preserve (p. 24 et p. 76)

En 1905, un dernier coup porté avec un pieu d'or dans le sud du Nevada marqua l'achèvement du chemin de fer entre Salt Lake City et Los Angeles (LA). Pendant deux jours, pionniers et spéculateurs immobiliers de LA se disputèrent les terres aux enchères ; certains lots de Las Vegas partirent pour 10 fois leur prix d'origine.

BARRAGE ET JEUX D'ARGENT

C'est ainsi que fut officiellement fondée Las Vegas, dont la réputation sulfureuse devait beaucoup au quartier rouge de Downtown, surnommé "Block 16". Dédié au jeu, à l'alcool et à la prostitution, ce chapelet de saloons adossés à des maisons de passe survécut à plusieurs interdictions du jeu par l'État du Nevada et aux années prétendument "sèches" de la Prohibition.

Soutenu par l'État fédéral, le chantier du Boulder Dam (rebaptisé Hoover) et la légalisation des jeux d'argent permirent à Las Vegas de traverser la Grande Dépression. Grâce au laxisme entourant les divorces, aux mariages express, à la légalisation de la prostitution et aux matchs de boxe, certains amassèrent des fortunes. L'argent du New Deal continua d'alimenter les caisses du sud du Nevada pendant la Seconde Guerre mondiale : une immense base de l'armée de l'air vit le jour, ainsi qu'une autoroute goudronnée reliant LA.

L'EUPHORIE D'APRÈS-GUERRE

Un vent de renouveau souffla sur l'Amérique au lendemain de la guerre. En 1946, fort du soutien de la mafia de la côte Est, le gangster Benjamin "Bugsy" Siegel dépensa 6 millions de dollars pour construire le Flamingo, son hôtel-casino. Ses couleurs pastel, ses concierges en smoking, ses stars d'Hollywood et ses néons en firent le symbole du nouveau Las Vegas.

LES GANGSTERS DU BON VIEUX TEMPS

Pour revivre l'époque où mafieux et agents du FBI se défiaient dans les ruelles de Vegas, rendez-vous au tout nouveau **Mob Museum** (www.mobmuseum.org), à Downtown (ouverture prévue en 2011). Chantier de 50 millions de dollars, le musée occupera l'édifice historique du tribunal fédéral, 300 Stewart Ave, où siégea en 1951 la commission Kefauver, chargée d'une enquête fédérale sur la criminalité organisée.

Le musée interactif explorera les deux pans de l'histoire de la pègre : quand Meyer Lansky, Frank "Lefty" Rosenthal et les autres célèbres bandits de Vegas n'auront plus de secrets pour vous, vous rencontrerez les représentants de la loi qui les traquèrent (ou participèrent à l'"écrémage" des casinos).

Pendant la guerre froide fut construit le Nevada Test Site (un centre d'essais nucléaires). D'abord indifférente aux retombées des radiations, Las Vegas sut en tirer profit : alors que les explosions faisaient voler en éclat les fenêtres de casinos et que des nuages atomiques apparaissaient à l'horizon, "Atomic City" couronnait une "miss Champignon atomique", vendait des "atomburgers" et consacrait Elvis "chanteur à énergie atomique".

DES GANGSTERS AUX COMPLEXES HÔTELIERS

De grands noms du show-biz, comme Frank Sinatra, Liberace et Sammy Davis Jr, se partagèrent la scène avec des danseuses aux seins nus, tandis que les magnats avec le soutien de la Mafia participèrent à la surenchère. Les liens avec la pègre commençant à ternir la réputation de Las Vegas, l'achat très médiatisé du Desert Inn en 1967 par l'excentrique milliardaire Howard Hughes offrit à l'industrie du jeu un vernis de légitimité.

La folie dépensière de Hughes marqua le début d'une nouvelle ère : l'arrivée à Vegas de grandes entreprises cotées en Bourse, caractérisée par une frénésie de construction de la fin des années 1960 au début des années 1970. Le lancement en 1973 du MGM Grand, qui laissa place à l'un des plus grands hôtels au monde, et l'ouverture du fabuleux Mirage de Steve Wynn en 1989 annoncèrent la fin des grands complexes d'entreprise.

UNE MECQUE MODERNE

Dans les années 1990, les chantiers se multiplièrent sur le Strip : la gigantesque pyramide noire du Luxor s'éleva ainsi sur l'horizon désertique, la Stratosphere Tower devint le plus haut édifice de l'ouest des États-Unis, Paris Las Vegas fut doté d'une tour Eiffel, et les fontaines du Bellagio se mirent à danser.

UNE DURÉE DE VIE LIMITÉE

Les édifices antérieurs à 1960 ne font pas long feu à Las Vegas, et les bâtiments historiques sont régulièrement réduits en morceaux à la dynamite ou défoncés par des boules de démolition pour laisser la place à de nouveaux hôtels-casino et complexes touristiques.

De la même manière que les essais nucléaires du Nevada suscitaient la curiosité à l'ère atomique, les implosions sont aujourd'hui motifs à faire la fête sur le Strip. Le mot d'ordre est : avec fracas, mais sans regret. Ces prouesses techniques et le maniement de centaines de kilos d'explosifs soulève la curiosité des touristes, qui achètent des vidéos de ces spectacles.

Les sites de démolissage sont attendus avec impatience – un site Internet est même consacré uniquement à ces "mises à mort" : www.lvrevealed.com/deathwatch.

Une implosion a sonné le début du XXIe siècle, lorsque Steve Wynn a détruit le Desert Inn pour bâtir le complexe pharaonique du même nom. En 2009, le CityCenter a ajouté au Strip des tours d'allure moderniste. Frappé par la récente récession américaine, Las Vegas n'en possède pas moins l'essentiel des 20 plus grands hôtels au monde, et accueille 37 millions de visiteurs chaque année.

VIVRE À LAS VEGAS

Sin City attire une foule éclectique désireuse de tout oublier pour un week-end. "Ce qui se passe à Vegas reste à Vegas", professe la plus grande métropole du Nevada à l'intention des visiteurs. Or, les liens de Vegas avec la Mafia masquent la réalité quotidienne de la ville.

Avec ce parfum de scandale, on oublie que Vegas est avant tout une bourgade conservatrice d'éleveurs de bétail. Malgré les apparences, la prostitution est illégale dans le comté de Clark. Gays et lesbiennes font profil bas pour éviter les foudres de la droite chrétienne, et le racisme est bien ancré : ce n'est que dans les années 1960 que la ségrégation a cessé dans les hôtels-casino du Strip.

Las Vegas est une ville jeune. La plupart des habitants sont nés hors de l'État ; nombre d'entre eux ont entre vingt et trente ans et sont arrivés dans les 10 dernières années (notamment en provenance de Hawaï). Avec la crise économique, la vague de chômage et les saisies par les banques de logements lourdement hypothéqués, Las Vegas perd chaque mois plus d'habitants qu'il n'en gagne. Dans ce perpétuel flot humain, la ville inspire un étrange sentiment d'impermanence.

La chance ne sourit pas à tout le monde : Vegas a été élu "pire ville d'Amérique" pour les sans-abri. À l'est de Fremont St ou dans "Naked City", entre Downtown et le Strip, la misère humaine est visible partout : prostituées en manque de crack, individus poussant en bafouillant des chariot remplis de sacs poubelle ou joueurs malheureux descendant des litrons de bière dissimulés dans des sacs en papier.

Le Nevada est le troisième État américain en termes d'échec scolaire ; l'économie locale étant alimentée par des employés au salaire minimum, de nombreux adolescents n'ont aucun intérêt pour les études supérieures. Jusque récemment, beaux-arts et culture étaient antithétiques avec Las Vegas, mais la nouvelle scène artistique de Downtown, les musées du prestigieux réseau Smithsonian et le centre des arts du spectacle de l'UNLV (University of Nevada, Las Vegas) signalent une évolution.

Las Vegas est une ville d'amateurs inconditionnels de sports, comme le prouvent les kyrielles de guichets de paris dans les casinos. Malheureusement, faute d'équipe locale à soutenir, les paris portent essentiellement sur les grandes équipes nationales – même si les rencontres universitaires de l'UNLV sont très suivies. Les matchs du championnat de boxe suscitent une grande effervescence le soir de la "Fight Night".

BONNES MANIÈRES

En cas de problème, vous obtiendrez plus sûrement gain de cause en restant poli. Pour les pourboires, voir la deuxième de couverture.

Boissons et jeux sont interdits aux moins de 21 ans. L'alcool s'achète partout, tous les jours, 24h/24.

Quel que soit votre âge, ayez toujours une pièce d'identité sur vous, surtout pour entrer dans les bars et les boîtes de nuit. La possession d'un récipient d'alcool ouvert est illégal dans les lieux publics – cette règle est rarement appliquée, sauf dans les véhicules. La conduite en état d'ivresse ou sous l'emprise de drogue est sévèrement réprimée et passible de lourdes amendes et peines. Dans la rue, les passages piétons font plus de victimes que les accidents de la route.

Cigarettes et cigares ne sont plus les bienvenus. Les centres commerciaux, les cinémas, les salles de restaurants et de bars sont désormais des zones non-fumeurs. Si vous ne voyez pas de cendrier, renseignez-vous avant de sortir votre briquet. Sachez toutefois que les chambres non-fumeurs des hôtels exhalent parfois des relents de tabac froid…

GIRLS ! GIRLS ! GIRLS !

La prostitution a été interdite à Las Vegas dans les années 1940, lorsque l'armée imposa la fermeture des bordels de la ville. Mais le maire sortant Oscar Goodman s'est illustré par ses arguments en faveur de la prostitution, affirmant que sa légalisation transformerait les "vieux motels en superbes bordels".

Quant à George Flint, pasteur ordonné et seul lobbyiste rémunéré par les maisons closes du Nevada, il s'emploie à défendre les nombreux comtés ruraux de l'État où la prostitution est encore légale.

Sans commune mesure avec l'image romantique des bordels du Far West, la plupart des maisons closes modernes ne sont guère que des caravanes géantes entourées de fils barbelés au bord d'une autoroute déserte. Alexa Albert, dans *Brothel : Mustang Ranch and Its Women*, en dresse un tableau déroutant. Dans la même veine, l'étrange série de télé-réalité *Cathouse* de HBO, est disponible en DVD.

À l'époque où les stars de cinéma affluèrent à Las Vegas dans les années 1950, les dames se faisaient un point d'honneur d'arborer une robe de soirée à l'heure du cocktail, et même les danseuses s'habillaient comme des starlettes. Côté hommes, Sy Devore taillait des costumes européens pour le Rat Pack et même les concierges portaient des smokings au casino du Flamingo. Aujourd'hui, seuls les restaurants de luxe, boîtes branchées et *ultra lounges* imposent un code vestimentaire. Jeans et T-shirts composent l'uniforme du touriste.

VIE POLITIQUE

Lorsque les électeurs choisirent pour maire Oscar Goodman, avocat de la défense, en 1999, les efforts pour laver Las Vegas de sa réputation sulfureuse ont subi un revers. Goodman, requin du barreau devenu célèbre pour avoir défendu des "affranchis" comme Tony "The Ant" Spilotro et Meyer Lansky, apparaît même dans le film *Casino*. On connaît moins le travail de Goodman, parfois bénévole, pour la défense des pauvres et des déshérités.

Celui qu'un chroniqueur du *Las Vegas Review-Journal* a surnommé "l'avocat des bouchers" ne dissimule en rien son passé et adore évoquer le bon vieux temps. C'est toutefois sa réforme populiste consistant à faire payer les promoteurs pour endiguer la circulation et la pollution dont souffre la ville qui a séduit les électeurs. Le maire a aussi prôné inlassablement la nécessité de réhabiliter le cœur urbain de Downtown.

Depuis son élection pour un troisième mandat avec 83,69% des suffrages en 2007, Goodman jouit encore d'une immense popularité. Il profite souvent de son poste pour tenir des propos passionnés sur des questions politiques controversées, comme la légalisation de la prostitution. Au nombre de ses faits d'arme, citons : faire imprimer sa bouille sur un jeton de casino en édition limitée, se faire inviter par *Playboy* pour jouer les photographes et instituer des soirées "un martini avec le maire". Ses successeurs ont du pain sur la planche en prévision de 2011 !

ENVIRONNEMENT

Las Vegas est un cauchemar écologique, mais paradoxalement, c'est aussi le point d'accès de certains des sites naturels les plus spectaculaires du Sud-Ouest, comme le Grand Canyon.

L'approvisionnement en eau est la principale préoccupation. La ville de Las Vegas tire l'essentiel de son eau de la Colorado River, qui alimente le

ASTUCES ÉCOTOURISTIQUES

> Préférez le monorail, neutre en émissions (p. 193)
> Ne louez de voiture que pour quitter la ville (p. 155)
> Apportez vos produits de toilette et réutilisez les serviettes de l'hôtel ; refusez les services de ménage superflus en accrochant l'affichette "ne pas déranger" à votre porte
> N'achetez pas de bouteille plastique : remplissez la vôtre au robinet
> Recyclez les cannettes d'aluminium et les bouteilles plastique dans les contenants prévus à cet effet dans certains musées et casinos
> Utilisez votre propre sac de courses, et déclinez les sachets en plastique ou en papier

Lake Mead. Selon certains scientifiques, la probabilité que la Las Vegas Valley épuise ses réserves d'ici 2021 est de 50%.

La pollution de l'air n'est pas moins préoccupante ; la vallée est bordée de montagnes qui stockent les particules nocives, et la ville viole régulièrement les normes fédérales de qualité de l'air. Le ciel arbore une couche d'inversion souvent si épaisse que les montagnes sont à peine visibles. Entre l'autoroute et l'aéroport international McCarran, l'endroit rappelle LA.

Pour en savoir plus sur l'environnement à Las Vegas, lire ci-p. 171.

QUELQUES IDÉES DE LECTURE

Peu d'auteurs ont touché le jackpot à Vegas, mais Hunter S. Thompson (*Las Vegas parano : une équipée sauvage au cœur du rêve américain* ; Gallimard, 2010), adepte du journalisme gonzo – méthode d'investigation axée sur l'ultra-subjectivité – et Mario Puzo (*Le Parrain* ; Laffont, 1973 et *Au cœur de Las Vegas* ; Laffont, 1978), romancier pop et scénariste, ont tous deux exploré les bas-fonds de Vegas.

En parcourant les pages de *Las Vegas : La pépite du désert* (Éditions du May, 2009), de Sébastien Frémont, illustré de 300 photos, vous découvrirez l'exubérante "Ville du péché", que l'auteur connaît dans ses moindres détails. Atypique, *Zéropolis : l'expérience de Las Vegas* (Allia, 2002), de Bruce Bégout, est un essai relevant tout à la fois de la philosophie, de la sociologie et du road-movie littéraire, qui propose une dérive sensitive autour de la cité.

Quantité de biographies (certaines traduites en français) ont été consacrées aux mafieux, stars de cinéma et autres comédiens qui ont marqué la ville, de la bande des Rat Pack à Elvis Presley. Citons *Bugsy* (Olivier Orban, 1992), de Henry Sergg, qui décrit subtilement la personnalité de ce pilier de la mafia au charisme dévastateur.

SÉLECTION MUSICALE RÉTRO

> "Luck Be a Lady", la version de Frank Sinatra
> "Viva Las Vegas", la version de Elvis Presley
> "Ace in the Hole", la version de Bobby Darin
> "The Lady is a Tramp", la version de Sammy Davis Jr
> "I've Got You Under My Skin", la version de Keely Smith et Louis Prima

...ou n'importe quel morceau de l'album *The Rat Pack : Live at the Sands* chez Capitol Records ou de la série *Live from Las Vegas*. Les curieux essaieront de se procurer les compilations *Las Vegas Grind* (du nom d'un festival où se sont récemment produits des groupes de musique rock s'inspirant des années 1960) de Crypt Records (www.cryptrecords.com), évocatrice du quartier rouge de Downtown et de l'ambiance cabaret de la ville.

Dans *Casino* (Presses de la Cité, 1998), Nicholas Pileggi raconte comment la mafia de Chicago entreprend de s'emparer de Vegas. Un engrenage malheureux de pots-de-vin, de paris et de maîtresses émaille ce récit inspiré de faits véridiques.

Tout aussi sombre, *Leaving Las Vegas* (Rivages, 1997), de John O'Brien, est le trajet sans retour d'un alcoolique désespéré et d'une "professionnelle" passablement esquintée.

Si vous lisez l'anglais, *Skin City : Behind the Scenes of the Las Vegas Sex Industry* (Harper Paperbacks, 2006), de Jack Sheehan (un résident de longue date), a été décrit comme un "carnet de voyage érotique". Ce livre est un composé d'entretiens non convenus avec des maquerelles, des strip-teaseuses et des stars du porno.

Intitulé *Las Vegas, la jungle du tapis vert* (Gallimard, 1965) en hommage au sulfureux roman d'Upton Sinclair, *La Jungle*, l'ouvrage d'Ed Reid et Ovid Demaris dénonce la corruption et la violence qui règnent dans les casinos de Las Vegas des années 1940 jusqu'au début des année 1960.

Vous pensez que les gangsters ont quitté la ville et que Vegas s'est assagi ? *Une hyper-Amérique : argent, pouvoir, corruption ou le modèle Las Vegas* (Autrement, 2005), de Sally Denton et Roger Morris, est une fascinante plongée dans les dessous de Vegas à la fin du XXe siècle.

Avec *L'Enseignement de Las Vegas* (Mardaga Éditions, 2007), Robert Venturi a été l'un des premiers à élever l'architecture de la ville au rang d'art populaire, tandis que *Viva Las Vegas : After-Hours Architecture* (Chronicle Books, 1993), d'Alan Hess, est une histoire illustrée de l'architecture extravagante de Vegas d'avant le Luxor.

CINÉMA ET TÉLÉVISION

À moins de 500 km de Los Angeles, Las Vegas a été longtemps pour Hollywood un lieu de tournage de prédilection – le Strip, artère photogénique et décor de cinéma grandeur nature, exerce sans doute sa fascination sur les réalisateurs.

L'intérieur des casinos a souvent accueilli des tournages dans les années 1940, lorsque Frank Sinatra fit ses débuts sur le grand écran et que Howard Hughes, magnat du cinéma, travaillait sur place. Inspirés par les essais atomiques, de nombreux films de série B furent réalisés dans les années 1950. Sinatra et son Rat Pack firent de nombreuses apparitions, notamment après le film culte *L'Inconnu de Las Vegas* (*Ocean's 11* ; 1960), tandis qu'Elvis se déhanchait dans *L'Amour en quatrième vitesse* (*Viva Las Vegas* ; 1964). Si James Bond rendait hommage au glamour de Vegas dans *Les diamants sont éternels* (1971), l'épopée du *Parrain* (1972), écrite par Mario Puzo, qui se qualifiait lui-même de "joueur dégénéré", fut le premier film à évoquer la mafia de Vegas. Avec *Casino* (1995), Martin Scorsese explore les guerres de mafieux.

Dans *Rain Man* (1988), Dustin Hoffman et Tom Cruise conspirent pour faire sauter la banque. Dans *Bugsy* (1991), Warren Beatty et Annette Bening donnent vie au Flamingo d'origine. La Cité du péché sied apparemment à Nicolas Cage, qui joue avec Sarah Jessica Parker dans *Lune de miel à Las Vegas* (1992) et avec Elisabeth Shue dans le brutal *Leaving Las Vegas* (1995). Comble du mauvais goût, *Vegas Vacation* (1997), de Chevy Chase, vaut surtout pour les apparitions de Wayne Newton et de Siegfried et Roy sur la scène du Mirage.

Aucun film n'a mieux illustré le Vegas contemporain que *Swingers* (1996). L'adaptation cinématographique du classique de Hunter S. Thompson *Las Vegas Parano* (1998), avec Johnny Depp et Benicio Del Toro, a confirmé que le péché n'était pas passé de mode. Dans le remake du classique de Sinatra, *Ocean's Eleven* (2001) avec Brad Pitt, George Clooney, Julia Roberts et une brochette de stars entreprennent de dévaliser plusieurs casinos. Film indépendant, l'excellent *Lady Chance* (2003) met face à face William H. Macy en joueur malchanceux et un redoutable Alec Baldwin en magnat de casino. Dans *Las Vegas 21* (2008), inspiré d'une histoire vraie, des étudiants escroquent des casinos de Vegas en comptant les cartes (avec Kevin Spacey). Comédie loufoque, *Very Bad Trip* (2009) relate un week-end entre célibataires – avec une apparition de Mike Tyson.

Enfin, dans la fameuse série *Les Experts*, la police scientifique enquête à Vegas. Le virus de la télé-réalité n'a pas épargné la ville, comme l'illustre depuis peu *Mindfreak*, spectacles de magie de Criss Angel.

HÉBERGEMENT

Forte de presque 150 000 chambres, Vegas décroche assurément le gros lot en matière d'hébergement. Même si vous ne roulez pas sur l'or et que votre budget est serré, c'est la destination idéale pour s'offrir des prestations de grand standing à des prix défiant toute concurrence – sachez toutefois qu'une luxueuse suite penthouse en terrasse dominant Las Vegas Blvd (le Strip), avec service de concierge 24h/24, coûtera tout de même plusieurs milliers de dollars la nuit.

Pour les novices, tous les hôtels-casinos du Strip semblent s'égaler en termes de prestations, mais il n'y a pas que les grands noms, certaines adresses sont plus confidentielles.

Le Center Strip concentre la plupart des somptueux complexes et des attractions en vue, et les tarifs sont à l'avenant. Le South Strip allie une expérience non moins authentique, avec un confort et des prix plus raisonnables. Quelques célèbres hôtels-casinos du North Strip recèlent des chambres décevantes, et sont plutôt mal situés. Downtown séduira les joueurs et les voyageurs à petit budget ayant déjà arpenté le Strip. Par ailleurs, certains hôtels moins centraux proposent d'excellentes affaires – si l'éloignement ne vous effraie pas.

Quel que soit votre choix, la réservation est indispensable. Sachez que régulièrement les hôtels de la ville affichent tous complets. Tout au long de l'année, des remises de 50% sont consenties les nuits du dimanche au jeudi. À moins de venir aux frais de votre entreprise, évitez les périodes de conventions ou de congrès, où les tarifs montent en flèche. La basse saison correspond aux mois les plus chauds (juin, juillet et août) et les plus froids, en hiver. Les claustrophobes s'abstiendront pendant le Nouvel An et les principaux jours fériés (p. 195).

Pour obtenir un meilleur tarif ou si votre hôtel de prédilection est complet, vérifiez de nouveau une ou deux semaines plus tard : le prix des chambres chute parfois de façon draconienne. Nous vous conseillons également de consulter les tarifs de votre hôtel quelques jours avant votre départ : s'ils ont baissé, cela vaut la peine de demander une ristourne.

RESSOURCES EN LIGNE

Les sites Internet et les pages Facebook et Twitter des hôtels-casinos affichent des réductions sur le prix des chambres, de même que des sites spécialisés comme www.travelworm.com. La **Las Vegas Convention & Visitors Authority** ☎ 877-847-4858 ; www.visitlasvegas.com) vous aidera à trouver un hébergement de dernière minute.

PETITS BUDGETS

IMPERIAL PALACE

☎ 702-731-3311, 800-351-7400 ; www.imperialpalace.com ; 3535 Las Vegas Blvd S ; ch à partir de 45 $;

Les chambres sont bon marché vu l'emplacement central, mais elles conviendront mieux cependant à ceux qui ne recherchent pas plus qu'un lit pour la nuit. Le concept *dealertainers* (qui allie jeu et imitateurs de célébrités) donne un plus au casino.

CANDLEWOOD SUITES EXTENDED STAY

☎ 888-299-2208 ; 4034 Paradise Rd ; ch 65-120 $;

À environ 1,5 km du Strip, l'accès Wi-Fi gratuit, tout comme la laverie, est un bon point pour cet hôtel, où chaque chambre dispose d'une kitchenette. Vous économiserez ainsi en restaurant pour pouvoir prendre le taxi les grands soirs. De nombreux hommes d'affaires en sont les habitués. Tranquillité assurée.

BILL'S GAMBLIN' HALL & SALOON

☎ 702-737-2100, 866-245-5745 ; www.billslasvegas.com ; 3595 Las Vegas Blvd S ; ch 65-150 $;

Excellent rapport qualité/prix pour cet hôtel en plein milieu du Strip ; il faut donc réserver bien à l'avance. Les chambres, décorées dans le style victorien, n'en arborent pas moins un écran plasma. Les clients ont accès gratuitement à la piscine du Flamingo voisin.

LUXOR

☎ 702-262-4444, 877-386-4658 ; www.luxor.com ; 3900 Las Vegas Blvd S ; ch à partir de 65-190 $;

La brillante réception du Luxor, où pulse de la musique jusque tard dans la nuit, jure avec les chambres plutôt fatiguées situées dans la pyramide. Si vous préférez le calme, optez pour une chambre dans la tour. L'établissement abrite quelques-uns des clubs les plus chauds de Las Vegas, dont le CatHouse et le LAX. Des passages couverts permettent d'accéder au très chic Mandalay Bay et au moins sélect mais divertissant Excalibur.

NEW YORK-NEW YORK

☎ 66-815-4365 ; www.nynyhotelcasino.com ; 3790 Las Vegas Blvd S ; ch à partir de 75 $;

Une jolie surprise, notamment en raison du prix, que ces chambres basiques mais qui reste très agréables, et relativement calmes malgré la présence du casino éponyme à quelques pas. Une plaisante ambiance joyeuse et décontractée règne dans les clubs et les bars.

CATÉGORIE MOYENNE

FLAMINGO

☎ 702-733-3111 ; www.flamingolasvegas.com ; 3555 Las Vegas Blvd S ; ch à partir de 90 $;

Tâchez d'obtenir l'une des chambres GO, les plus récentes, qui rendent, à un prix abordable, un brillant hommage au passé de ce temple du luxe de Las Vegas. Emplacement rêvé, au centre de l'action.

PARIS LAS VEGAS

☎ 702-946-7000, 877-603-4386 ; www.parislasvegas.com ; 3655 Las Vegas Blvd S ; ch à partir de 90 $;

Belles chambres avec une touche de design français classique. Les nouvelles Red Rooms sont d'une élégance somptueuse. Les chambres les plus chères, offrant une vue sur la réplique de la tour Eiffel, sont parfaites pour une grande occasion.

CAESARS PALACE

☎ 866-227-5938 ; www.caesarspalace.com ; 3570 Las Vegas Blvd S ; ch à partir de 90 $;

Les chambres standard sont parmi les plus luxueuses de la ville. La liste des restaurants, des boutiques et des commodités est très longue et le complexe semble aussi vaste que la Rome antique.

MANDALAY BAY

☎ 702-632-7777, 877-632-7800 ; www.mandalaybay.com ; 3950 Las Vegas Blvd S ; ch à partir de 310 $;

Chambres richement décorées sur le thème des mers du Sud, avec grandes baies vitrées et sdb luxueuses. Immense complexe aquatique avec piscine, plage de sable, machine à vagues et Moorea Beach Club (réservé aux adultes).

PLATINUM HOTEL

☎ 702-365-5000, 877-211-9211 ; www.theplatinumhotel.com ; 211 E Flamingo Rd ; ch à partir de 130 $;

Un bel établissement, assez récent, prisé des hommes d'affaires et des voyageurs qui veulent rester proches du Strip. Les chambres modernes et lumineuses sont confortables. Toutes ont une cuisine et un Jacuzzi, et beaucoup une cheminée. Pas de casino sur place.

CATÉGORIE SUPÉRIEURE

THEHOTEL

☎ 702-632-7777, 877-632-7800 ; www.thehotelatmandalaybay.com ; Mandalay Bay, 3950 Las Vegas Blvd S ; ste 130-500 $;

Service stylé et élégance sont au rendez-vous dans cet hôtel de charme intimiste qui ne comporte que des suites. On se sent si bien dans ce chic new-yorkais contemporain qu'on voudrait bien s'y installer. Les chambres, spacieuses, bénéficient d'un coin bar et d'un écran plasma.

TRUMP INTERNATIONAL HOTEL

☎ 702-982-0000, 866-939-8786 ; www.trumplasvegashotel.com ; 2000 Fashion Show Drive ; studio/suite à partir de 99/189 $;
Un sanctuaire de calme et de volupté au cœur du Strip, non dédié aux jeux et aux casinos. L'hôtel, installé dans une tour vertigineuse, offre des studios et des suites avec des vues panoramiques sur toute la ville. Le spa est très réputé.

PALMS CASINO RESORT

☎ 702-942-7777, 866-942-7777 ; www.palms.com ; 4321 W Flamingo Rd ; ch 149-500 $;
Le Palms attire depuis l'émission de téléréalité *Real World* une clientèle branchée et des célébrités qui aiment faire la fête, comme Paris Hilton et Britney Spears. Les chambres standard sont vastes, et les étages supérieurs ont vue sur le Strip. La fabuleuse piscine est l'endroit où il faut être vu. Des studios d'enregistrement permettent à chacun de réaliser ses rêves de star.

THE PALAZZO

☎ 702-607-7777, 866-263-3001 ; www.palazzolasvegas.com ; 3325 Las Vegas Blvd S ; ch à partir de 169 $;
Primé en 2010 par Travel + Leisure "meilleur hôtel de Las Vegas", le Palazzo loue des suites exquises qui ont tout le luxe qui sied à un établissement de cette catégorie : grands lits, marbre italien, accès Internet, salon, table de billard, etc.

RED ROCK RESORT

☎ 702-797-7878 ; www.redrocklasvegas.com ; 11011 W Charleston Blvd ; ch 200-625 $;
Ce complexe est fier d'être le premier casino-hôtel d'un milliard de dollars en dehors du Strip. Une navette gratuite circule entre le Strip et l'établissement, où sont organisées des randonnées pédestres et à vélo dans le proche Red Rocks State Park, et au-delà. Chambres très joliment décorées.

ENCORE

☎ 702-770-8000 ; www.encorelasvegas.com ; 3121 Las Vegas Blvd S ; ch 250-850 $;
Élégant et enjoué, même les joueurs à la table de roulette applaudissent avec une relative réserve. Si le thème Côte d'Azur flamboie dans les espaces communs de l'établissement, les chambres sont un modèle de luxe discret.

CARNET PRATIQUE

TRANSPORTS

ARRIVÉE ET DÉPART

AVION

Outre quelques aérodromes modestes des environs, Las Vegas est desservi par l'**aéroport international McCarran** (LAS ; ☎ 261-5211 ; www.mccarran.com ; 5757 Wayne Newton Blvd), à un jet de dés de l'extrémité sud du Strip. Des trams gratuits relient les portes d'embarquement plus éloignées des terminaux 1 et 2. DAB, banques, agence postale, poste de police et d'urgence médicale, salle de gym, accès Wi-Fi gratuit, machines à sous et consigne à bagages (2 $/heure, 12 $/jour, 48 heures maximum) équipent l'aéroport.

Lors de nos recherches, un vol A/R Paris-Las Vegas coûtait au moins 500/800 € (basse/haute saison), avec une escale aux États-Unis. Il n'y a aucun vol direct depuis l'Europe. La durée minimum du voyage est de 12 heures 30 environ. Les tarifs les plus bas étaient ceux de US Airways, Delta Airlines, United Airlines, Air France et British Airways. Depuis Bruxelles les tarifs étaient équivalents. À partir de Genève, les tarifs étaient proches de 700 €, avec les mêmes compagnies aériennes.

Taxi et limousine

Une course de l'aéroport jusqu'aux hôtels du Strip (au moins 30 min à l'heure de pointe) coûte de 15 à 20 $ (en espèces, sans compter le pourboire), et de 20 à 25 $ jusqu'à Downtown. La file d'attente à l'aéroport est parfois interminable.

TRAFIC AÉRIEN ET CHANGEMENTS CLIMATIQUES

Les transports, en particulier aériens, contribuent de manière significative aux changements climatiques. Lonely Planet, en association avec d'autres partenaires de l'industrie touristique soutient des opérations à l'initiative de Climate Care (www.climatecare.org), qui utilise des "compteurs de carbone" permettant aux voyageurs de compenser le niveau des gaz à effet de serre dont ils sont responsables par une contribution financière à des projets de développement durable visant à réduire le réchauffement de la planète. Lonely Planet "compense" la totalité des voyages de son personnel et de ses auteurs.

À l'heure où nous écrivons, Sin City n'est accessible qu'en avion ou par route. Bon marché mais lents, les bus **Greyhound** (☎ 800-231-2222 ; www.greyhound.com) partent de nombreux endroits du pays jusqu'au sordide **terminal** (☎ 384-9568 ; 200 S Main St) dans Downtown. L'idée de créer une ligne ferroviaire à grande vitesse entre le sud de la Californie et Las Vegas le long du couloir très engorgé de l'I-15 ne s'est pas concrétisée.

Pour plus d'informations, consultez notre site : www.lonelyplanet.fr.

À l'arrivée, dans la zone de retrait des bagages, des *skycap* (porteurs) attendent les passagers et vous évitent la queue moyennant 5 ou 10 $ par chariot. Les taxis empruntent souvent le tunnel de l'aéroport jusqu'à l'I-15 pour allonger la course ; demandez au chauffeur de prendre Paradise Rd ou un autre itinéraire non souterrain. Depuis l'aéroport, comptez au moins 45 $ l'heure pour une berline et 55 $ pour une limousine (6 pers), sans le pourboire.

Bus

Le bus de l'aéroport, connu pour sa lenteur, coûte 6,50 $/personne jusqu'au Strip et 8 $ jusqu'aux hôtels de Downtown. Certaines navettes fonctionnent 24h/24.

Si vous n'êtes pas trop chargé, le bus 108 de CAT circule de l'aéroport au Centre de convention, dessert les stations de monorail Hilton et Sahara (2 $, 25 à 35 min) et continue vers Downtown. Le bus 109 opère 24h/24 entre l'aéroport et le South Strip Transfer Terminal (2 $, 10 min), d'où des bus Ace Gold et Deuce partent pour le Strip (3 $).

VOITURE

Depuis Los Angeles, le trajet en voiture jusqu'à Las Vegas dure environ 4 heures 30 (430 km), 5 heures (530 km) depuis San Diego et 9 heures 30 (920 km) depuis San Francisco. La circulation est dense les week-ends et jours fériés.

Une boîte vocale indique l'état du trafic au ☎ 877-687-6237 pour le Nevada et ☎ 800-427-7623 pour la Californie. Sur l'I-15 dans le désert de Mojave, Highway Radio (Barstow 98.1FM, Baker 99.5FM) vous informe sur la circulation et la météo.

FORMALITÉS ET VISAS

Les visiteurs étrangers doivent être munis d'un passeport à lecture optique, valide au moins 6 mois après la date de départ. Pour savoir si votre passeport correspond aux critères requis, dirigez-vous sur le site de l'ambassade américaine à Paris : http://french.france.usembassy.gov/niv-besoin-visa.html.

Les ressortissants de France, de Belgique, de Suisse – et de plusieurs autres pays bénéficiant du programme d'exemption de visa (VWP) – n'ont pas besoin de visa s'ils souhaitent rester aux États-Unis moins de 90 jours. Ils doivent néanmoins remplir l'ESTA, un formulaire d'autorisation de voyage en ligne, et s'acquitter de la taxe de 14 $ (voir https://esta.cbp.dhs.gov/esta/esta.html?), au moins 72 heures avant leur arrivée. Cette autorisation est valable 2 ans. Les voyageurs doivent également être munis d'un billet de retour.

Pour une visite de courte durée, les Canadiens peuvent généralement se passer de visa, mais doivent présenter leur passeport.

CIRCULER À LAS VEGAS

Les embouteillages ne sont pas rares – les zones les plus touristiques étant plates, c'est à pied que l'on découvre le mieux Las Vegas, avec quelques trajets en taxi, monorail ou bus. Les lieux cités dans ce guide sont accompagnés d'une icône indiquant la station de monorail (M) ou de bus (🚌) la plus proche.

BUS

Les bus de la **Regional Transportation Commission of Southern Nevada** (RTC ; ☎ 228-7433, 800-228-3911 ; www.rtcsouthernnevada.com) circulent chaque jour entre 5h et 2h, et 24h/24 sur le Strip et à Downtown. Le billet coûte 2 $ (3 $ pour les bus Ace ou Deuce) ; prévoyez l'appoint (billet prépayé dans les bus Ace). Plans et horaires sont délivrés gratuitement par les conducteurs et au **Downtown Transportation Center** (300 N Casino Center Blvd).

Certains hôtels-casinos plus éloignés offrent une navette gratuite vers/depuis le Strip.

VOITURE

La circulation est très dense, surtout en semaine à l'heure de pointe et les week-ends sur le Strip. Lorsque la I-15 et Las Vegas Blvd sont très encombrés, préférez les itinéraires secondaires non souterrains. "K-News" sur KNUU (970AM) pour connaître l'état du trafic et la météo. Voituriers (laissez au moins 3 $) et/ou parkings ne manquent pas. Si vous avez pris un verre, **Designated Drivers** (☎ 702-456-7433 ; http ://vegas.designateddriversinc.com ; 🕑 24h/24) vient chercher et ramène votre voiture à l'hôtel moyennant 55 $, selon la distance.

Au moment de la rédaction de ce guide, le carburant à Las Vegas coûte moins de 3 $ par gallon (3,7 litres). Les tarifs de location oscillent autour de 25 $/jour ou 135 $/semaine, plus environ 20 $/jour d'assurance (généralement en option). Une corvette ou une jolie décapotable peut dépasser 225 $/jour. Les tarifs affichés ne comprennent pas toujours la taxe de vente (8,1%), les suppléments d'aéroport (10%) et la cotisation gouvernementale (12%), ou les frais d'équipement et de véhicule (4,40 $/jour). Pour le week-end, réservez au moins deux semaines à l'avance.

Quelques agences de location présentes à l'aéroport : **Alamo** (☎ 877-222-9075 ; www.alamo.com), **Budget** (☎ 800-922-2899 ; www.budgetvegas.com), **Dollar** (☎ 800-800-3665 ; www.dollar.com) et **Thrifty** (☎ 800-847-4389 ; www.thrifty.com). Il est souvent plus économique de prendre le véhicule à l'aéroport qu'à l'hôtel. Les amateurs de belles cylindrées se tourneront vers **Las Vegas Exotic Car Rentals** (☎ 866-871-1893 ; www. www.vegasexoticrentals.com ; 10177 W Charleston Blvd).

MONORAIL ET TRAM

Un **monorail** (☎ 699-8299 ; www.lvmonorail.com ; ⏲ 7h-2h lun-jeu, 7h-3h ven-dim) privé file entre les MGM Grand, Bally's/Paris, le Flamingo, Harrah's/Imperial Palace, le palais des congrès de la ville, le Hilton et le Sahara. Vous paierez l'aller simple 5 $.

Des trams gratuits et climatisés circulent entre les Bellagio, CityCenter et Monte Carlo, entre TI (Treasure Island) et le Mirage, et entre Excalibur, Luxor et Mandalay Bay.

TAXI

À Las Vegas, il est interdit de héler un taxi dans la rue : vous trouverez des stations à l'entrée des casinos, des hôtels et des centres commerciaux. Le tarif de la course s'affiche au compteur : 3,30 $ de prise en charge puis 2,40 $ par mile et 50 ¢ par minute à l'arrêt. Une course d'une extrémité du Strip à l'autre, ou du Strip à Downtown varie entre 12 et 16 $, sans compter le pourboire. Parmi les enseignes fiables, citons **Yellow Cab** (☎ 873-2000). Pour toute réclamation, vous êtes prié de contacter http ://taxi.state.nv.us.

FORFAITS

Les forfaits de monorail 1/3 jours coûtent 12/28 $. Valable 24/72 heures, le billet illimité pour les bus RTC est à 7/15 $.

RENSEIGNEMENTS

ARGENT

Les casinos n'existent que pour vous dépouiller et ne reculent devant rien pour y parvenir. Les DAB appliquent des frais de retrait élevés dans les zones de jeu (3,50 $ ou plus), et tous les casinos consentent des avances sur carte de crédit moyennant des commissions exorbitantes. Pour éviter les surcoûts, profitez de vos achats hors des casinos, dans les supérettes ou les pharmacies, pour demander du liquide (*cash back*) en réglant à la caisse.

Les taux de change sont indiqués en deuxième de couverture de ce guide. Les hôtels-casinos prennent davantage que les banques pour changer des devises, mais moins que la plupart des bureaux de change. **American Express** (☎ 739-8474 ; Fashion Show, 3200 Las Vegas Blvd S ; ⏲ 10h-21h lun-ven, 10h-20h sam, 11h-18h dim) pratique des tarifs corrects.

Le budget moyen du visiteur est de 230 $. L'hébergement est souvent la plus grosse dépense, et le prix des chambres varie considérablement (voir p. 186). Les repas coûtent au moins 10 $, voire plus de 100 $ par personne dans les restaurants les plus huppés. Inutile de louer une voiture, sauf pour explorer les environs de la ville (voir p. 155). D'autres astuces pour payer moins cher les attractions, les restaurants et les sorties p. 196.

CIRCUITS ORGANISÉS

Gray Line (☎ 384-1234, 800-634-6579 ; www.graylinelasvegas.com). Très apprécié, "Neon Lights" est un circuit nocturne en bus de 6 heures (55 $), avec des haltes aux fontaines du Bellagio et à Fremont Street Experience.

Haunted Vegas Tours (☎ 339-8744, réservations 866-218-4935 ; www.hauntedvegastours.com ; spectacle et visite 2 heures 30 66 $; 21h30 tlj). Le spectacle est décevant, mais le parcours en bus de nuit dans Sin City suit les traces de Liberace et du gangster Bugsy Siegel.

Jubilee! Backstage Tour (☎ 800-237-7469 ; Bally's, 3645 Las Vegas Blvd S ; visite 1 heure 15 $; 11h lun, mer, sam). Accompagné de l'une des artistes, vous découvrirez les coulisses du spectacle *Jubilee!*, une institution valant 50 millions de dollars.

Papillon Grand Canyon Helicopters (☎ 736-7243, 888-635-7272 ; www.papillon.com). Vol de 10 min en hélicoptère au-dessus du Strip (à partir de 99 $).

Vegas Mob Tour (☎ 339-8744, réservations 866-218-4935 ; www.vegasmobtour.com ; 2 heures 30 film et visite 57 $; 18h tlj). Promenade nocturne en bus évoquant l'époque où la mafia régnait sur Las Vegas.

ÉLECTRICITÉ

Le courant électrique aux États-Unis est du 110 V continu (60 Hz).
Les prises nord-américaines comprennent deux branches (plates) ou trois (deux plates et une ronde).
Consulter www.kropla.com pour en savoir plus sur les transformateurs et les adaptateurs.

HANDICAPÉS

Vegas rassemble le plus grand nombre de chambres accessibles aux handicapés des États-Unis. Sauf mention contraire, toutes les attractions indiquées dans ce guide sont accessibles aux fauteuils roulants ; la plupart des établissements sont également équipés à cet effet, et les salles possèdent souvent des amplificateurs auditifs. Les transports et plusieurs piscines d'hôtels sont munis de bras électriques. Les sociétés de taxi doivent obligatoirement disposer d'une camionnette pour fauteuil roulant. Si vous arrivez par la route, ne partez pas sans votre panneau "handicapé". Les chiens guides sont admis dans les restaurants, hôtels et bureaux. Certaines cabines téléphoniques sont adaptées aux malentendants. Pour en savoir plus, contactez le coordonnateur en charge de l'accessibilité au ☎ 892-0711 (☎ TTY 486-1018, ☎ relais vocal 800-326-6888).

HEURES D'OUVERTURE

Les hôtels-casinos restent ouverts 24h/24, 7j/7, toute l'année. En semaine, les horaires d'ouverture des commerces vont généralement de 9h à 17h, voire plus tard, y compris le samedi matin pour quelques banques et bureaux de poste. Les magasins ouvrent de 10h à 21h (ou 18h le dimanche), voire 23h ou plus dans les casinos. Exceptionnellement, les commerces ferment à Noël – à l'exception de ceux installés dans les casinos.

INTERNET

Dans les hôtels, l'accès Internet dans les centres d'affaires est généralement prohibitif. Dans les chambres, l'accès avec branchement ou sans fil coûte 12 à 15 $ pour 24 heures. Seuls quelques hôtels-casinos, comme le Venetian et le Palazzo offrent le Wi-Fi gratuit. Les boutiques de souvenirs du Strip, au sud de Harmon Ave et en face du campus de l'UNLV (University of Nevada, Las Vegas) sur Maryland Parkway hébergent des cybercafés bon marché. Sinon, essayez **FedEx Office** (☎ 951-2400 ; 395 Hughes Center Dr ; 20-30 ¢/min ; 24h/24), également présent à Downtown et dans le palais des congrès.

Pour tout savoir des événements sur le Strip et en ville, consultez les pages Facebook et Twitter des casinos, les sites des journaux et des magazines locaux. Voici également quelques sites Internet appréciés (en anglais) :

Cheapo Vegas (www.cheapovegas.com)
Las Vegas Advisor (www.lasvegasadvisor.com)
LVCVA (www.visitlasvegas.com)
Vegas Deluxe (www.vegasdeluxe.com)
VegasChatter (www.vegaschatter.com)
Vegas.com (www.vegas.com)

JOURNAUX ET MAGAZINES

Le premier quotidien du Nevada est le *Las Vegas Review Journal* (www.lvrj.com), d'orientation conservatrice, publié avec le tabloïd *Las Vegas Sun* (www.lasvegassun.com), paraît le vendredi avec *Neon*, un guide des sorties. Informations locales, vie nocturne, musique, films, arts etc., sont évoqués par le *Las Vegas Weekly* (www.lasvegasweekly.com) et l'hebdomadaire *Las Vegas CityLife* (www.lasvegascitylife.com), tous deux gratuits. Le mensuel gratuit *944* (www.944.com/lasvegas) couvre l'actualité des célébrités, des clubs et boîtes de nuit, et l'hebdomadaire *Vegas Seven* (http :// weeklyseven.com) celle des arts, de la culture, des tables et des loisirs. *Vegas* (www.vegasmagazine.com) s'intéresse à la mode, aux magnats des casinos et aux stars.

JOURS FÉRIÉS

Nouvel An 1er janvier
Anniversaire de Martin Luther King Jr 3e lundi de janvier
Jour du Président 3e lundi de février
Dimanche de Pâques mars/avril
Memorial Day dernier lundi de mai
Fête nationale (Independence Day) 4 juillet
Fête du Travail 1er lundi de septembre
Jour de Christophe Colomb 2e lundi d'octobre
Jour des Vétérans 11 novembre
Thanksgiving 4e jeudi de novembre
Noël 25 décembre

OFFICES DU TOURISME

N'en déplaise aux nombreuses agences arborant "Visitor information," le seul office du tourisme de la ville est le **Las Vegas Convention & Visitors Authority** (LVCVA ; ☎ 892-0711, 877-847-4858 ; www.visitlasvegas.com ; 3150 Paradise Rd ; ⏰ accueil 8h-17h, accueil téléphonique gratuit 7h-19h). La permanence téléphonique informe des spectacles, attractions, activités et autres, et peut parfois trouver un hébergement de dernière minute.

À l'étranger, il n'existe pas à proprement parler d'office du tourisme des États-Unis chargé de la promotion du pays. Toutefois, les sites Internet du Visit USA Comittee (organisme privé) fournissent des renseignements pratiques.

France (www.office-tourisme-usa.com ☎ 0 899 70 24 70, 0,35 €/min

Belgique (www.visitusa.com)

Canada (www.visitusacanada.org)

POURBOIRES

Seuls les pourboires assurent un revenu correct aux employés de service. Même si certains auraient amassé des fortunes dans le secteur des voituriers, laissez toujours un pourboire à moins que la prestation n'ait été vraiment déplorable. Sur la deuxième de couverture de ce guide vous lirez la rubrique *Pourboires* pour savoir qui gratifier d'un pourboire, et de combien.

TARIFS RÉDUITS

Les casinos accordent de grosses réductions (*comps*) aux clubs de joueurs et aux parieurs "classés" ; les clients de l'hôtel reçoivent un *Fun book*, chéquier de bons d'achat. Dans les chambres d'hôtels on trouve des magazines gratuits où figurent des ristournes (entrées demi-tarif ou 2 pour le prix de 1) sur les spectacles, restaurants et attractions. Certains casinos proposent aussi des réductions par Twitter, Facebook et SMS – il suffit de s'inscrire.

Le **Las Vegas Power Pass** (☎ 800-490-9330 ; www.visiticket.com ; adulte/enfant à partir de 78/45 $) séduira ceux qui comptent visiter quantité d'attractions – et fait parfois office de coupe-file. Le MealTicket, en revanche, est sans intérêt.

TÉLÉPHONE

Seuls fonctionnent à Las Vegas les modèles de téléphones portables tri-bandes ou quadri-bandes compatibles avec les diverses fréquences GSM et CDMA. La plupart des téléphones achetés en Amérique du Nord fonctionneront à Las Vegas, mais vérifiez auprès de votre opérateur le tarif d'itinérance pour éviter les mauvaises surprises. L'usage de téléphones portables est interdit près des guichets de paris. Dans certains hôtels du Strip, le centre d'affaires loue des téléphones aux clients.

Les téléphones publics fonctionnent à pièces, mais acceptent parfois les cartes ou possèdent des ports pour accéder à Internet depuis un ordinateur ou un assistant numérique. Une communication locale coûte environ 50 ¢. Pour un appel longue distance hors de l'indicatif (☎ 702), composez d'abord le ☎ 1. Pharmacies et supérettes vendent des cartes téléphoniques, qui cachent parfois des frais et des surcoûts – lisez attentivement les conditions. Les grands prestataires, comme **AT&T** (☎ 800-321-0288), peuvent faciliter les appels longue distance.

INDICATIFS PAYS ET VILLE

États-Unis (☎ 1)
Las Vegas (☎ 702)

NUMÉROS UTILES

Opérateur local (☎ 0)
Opérateur international (☎ 00)
Code d'accès international (☎ 011)
Renseignements locaux (☎ 411)
Renseignements longue distance (☎ 1 + indicatif région + 555-1212)
Renseignements gratuits (☎ 800-555-1212)

URGENCES

Policiers et gardes de sécurité arpentent le Strip et le Fremont Street Experience (son et lumière au cœur de Downtown), et les caméras de surveillance sont omniprésentes. Utilisez le coffre de votre chambre et ne vous séparez pas de vos objets de valeur, surtout quand vous jouez. Prenez garde aux pickpockets dans la foule (dans les transports publics, par exemple). En s'éloignant de Fremont St, la vigilance est de mise de jour comme de nuit.

Urgences :

Police, pompiers, ambulance (☎ 911)
Police (hors urgence) (☎ 311)
Centre d'aide aux victimes de viol (Rape Crisis Center ; ☎ 366-1640)

En cas de blessure légère, les cliniques sans rendez-vous sont plus économiques que les urgences hospitalières. À l'est du Strip, le **Harmon Medical Center** (☎ 796-1116 ; 150 E Harmon Ave ; 8h-17h lun-ven) emploie des traducteurs. Une contraception d'urgence est dispensée sans prescription au **Planning familial** (☎ 547-9888 ; Suite 25, 3300 E Flamingo Rd).

>INDEX

Voir aussi les index des rubriques Casinos *(p. 200)*, Voir *(p. 201)*, Shopping *(p. 201)*, Se restaurer *(p. 202)*, Sortir *(p. 203) et* Se loger *(p. 204)*.

Pages des cartes **en gras**

CASINOS

VOIR

Chapelles de mariage

Galeries d'art et musées

Jardins et vie sauvage

Las Vegas insolite

Montagnes russes et jeux d'arcade

Spectacles

SHOPPING

Boutiques pour adultes

Centres commerciaux et galeries marchandes

SE RESTAURER

SE LOGER

>CARTES

Délectez-vous de l'ambiance permanente de carnaval de Vegas

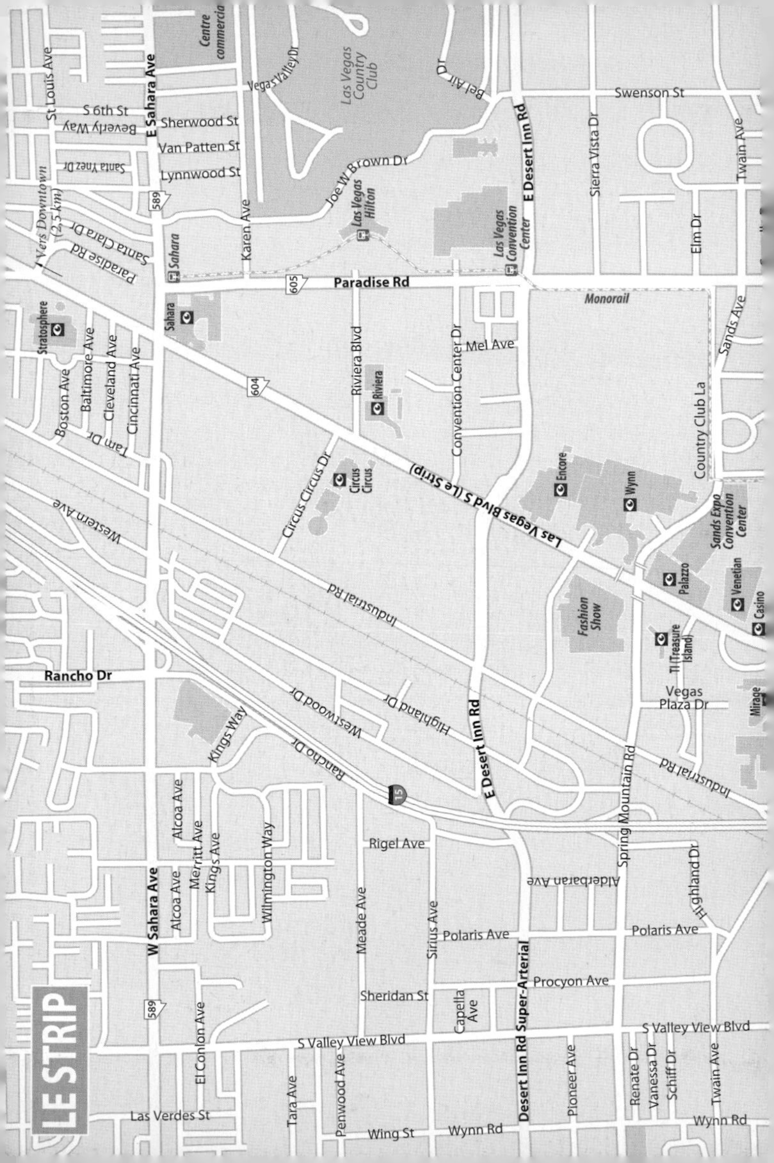
LE STRIP
Centre commercial
Las Vegas Country Club
Vegas Valley Dr
Bel Air Dr
Swenson St
St Louis Ave
S 6th St
E Sahara Ave
Beverly Way
Sherwood St
Van Patten St
Santa Ynez Dr
Lynnwood St
Joe W Brown Dr
E Desert Inn Rd
Sierra Vista Dr
Twain Ave
589
Vers Downtown (2,5 km)
Santa Clara Dr
Paradise Rd
Karen Ave
Las Vegas Hilton
Las Vegas Convention Center
Elm Dr
Sahara
605
Paradise Rd
Monorail
Sands Ave
Stratosphere
Boston Ave
Baltimore Ave
Cleveland Ave
Cincinnati Ave
Tam Dr
604
Riviera Blvd
Riviera
Convention Center Dr
Mel Ave
Country Club La
Circus Circus Dr
Circus Circus
Las Vegas Blvd S (Le Strip)
Encore
Wynn
Sands Expo Convention Center
Western Ave
Industrial Rd
Fashion Show
Palazzo
Venetian
Casino
TI (Treasure Island)
Rancho Dr
Westwood Dr
Highland Dr
E Desert Inn Rd
Vegas Plaza Dr
Mirage
Kings Way
Rancho Dr
15
Industrial Rd
Spring Mountain Rd
Alcoa Ave
Merritt Ave
Kings Ave
Wilmington Way
Rigel Ave
Aldebaran Ave
Highland Dr
W Sahara Ave
Meade Ave
Sirius Ave
Polaris Ave
Polaris Ave
Procyon Ave
Sheridan St
Capella Ave
Desert Inn Rd Super-Arterial
589
El Conlon Ave
S Valley View Blvd
S Valley View Blvd
Penwood Ave
Tara Ave
Pioneer Ave
Renate Dr
Vanessa Dr
Schiff Dr
Twain Ave
Las Verdes St
Wing St
Wynn Rd
Wynn Rd

Viking Rd
Harrah's
Harrah's/Imperial Palace
Westchester Dr
Viking Rd
Rio
Gold Coast
Caesars Palace
Imperial Palace
Ida Ave
Winnick Ave
Flamingo Wash
Howard Hughes Pkwy
Fredrika Dr
Flamingo
Flamingo/Caesars Palace
Bill's Gamblin' Hall & Saloon
W Flamingo Rd
592
E Flamingo Rd
592
Palms
Nevso Dr
Bally's
Bally's/Paris
Koval La
Fredda St
605
Bellagio
Paris Las Vegas
Rochelle Ave
Swenson St
Bellagio
604
Audrie St
Sadie St
University of Nevada, Las Vegas
Aldebaran Ave
Cosmopolitan
Planet Hollywood
Hard Rock
Vdara
Harmon
Lana Ave
Harmon Ave
Dean Martin Dr
CityCenter
Crystals
E Harmon Ave
Harmon Ave
Aria
CityCenter
Naples Dr
Mandarin Oriental
LE STRIP
Monorail
Tropicana Wash
Monte Carlo
Monte Carlo
Thomas & Mack Stadium
Wynn Rd
Tompkins Ave
Deckow La
Paradise Rd
New York-New York
MGM Grand
MGM Grand
593
W Tropicana Ave
E Tropicana Ave
593
Excalibur
Tropicana
Island Way
Duke Ellington Way
Palo Verde Rd
Swenson St
Vers Orleans (500 m)
S Valley View Blvd
Las Vegas Blvd S (Le Strip)
Reno Ave
Reno Ave
15
Ali Baba La
Luxor
Giles St
0
800 m
0
0, 4 miles
Rent A Car Rd
Hacienda Ave
Hacienda Ave
Procyon Ave
Polaris Ave
Mandalay Bay
Haven St
McCarran International Airport

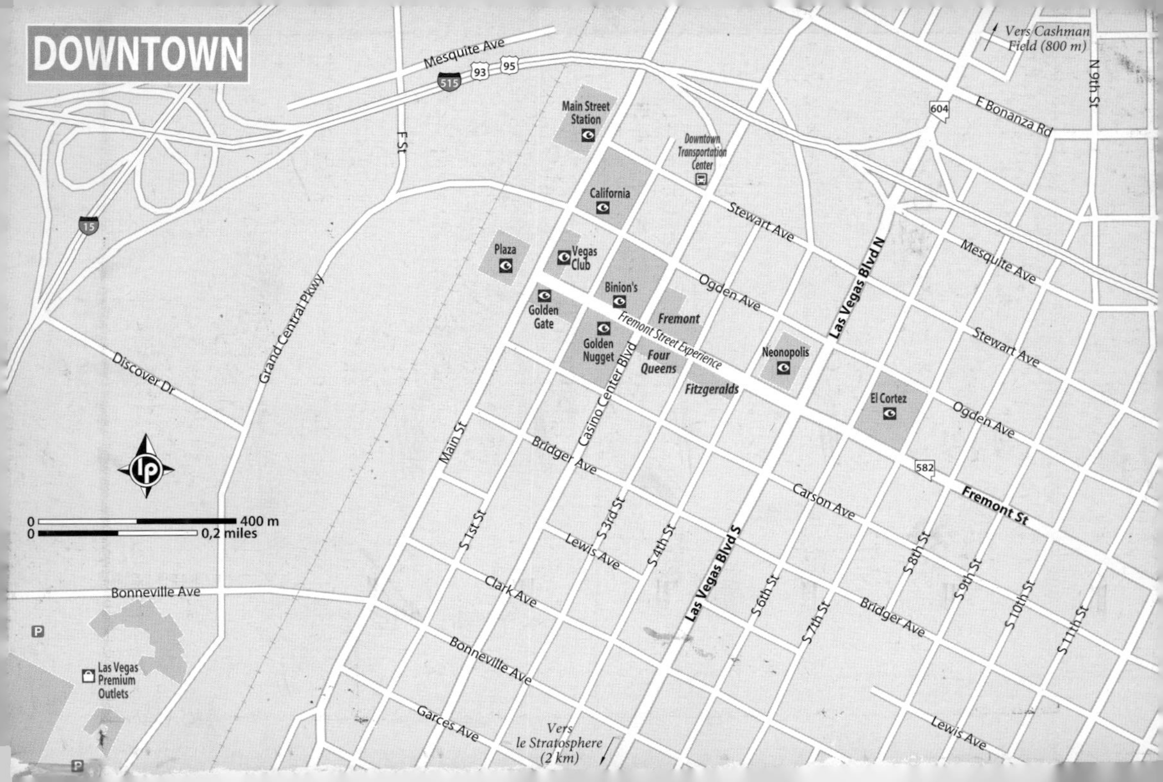
DOWNTOWN
Vers Cashman Field (800 m)
N 9th St
E Bonanza Rd
604
Mesquite Ave
515
93
95
F St
Main Street Station
Downtown Transportation Center
California
Stewart Ave
Mesquite Ave
Plaza
Vegas Club
Binion's
Golden Gate
Golden Nugget
Fremont
Fremont Street Experience
Four Queens
Fitzgeralds
Neonopolis
Las Vegas Blvd N
Ogden Ave
Stewart Ave
El Cortez
Ogden Ave
582
Fremont St
Carson Ave
Casino Center Blvd
Main St
Bridger Ave
S 1st St
S 3rd St
S 4th St
Las Vegas Blvd S
Lewis Ave
S 6th St
S 7th St
S 8th St
S 9th St
S 10th St
S 11th St
Bridger Ave
Clark Ave
Bonneville Ave
Garces Ave
Lewis Ave
Vers le Stratosphere (2 km)
15
Grand Central Pkwy
Discover Dr
0
400 m
0
0,2 miles
Bonneville Ave
Las Vegas Premium Outlets